George

Grace Kelly

Editions J'ai lu

Si, à la grande époque romanesque d'Hollywood, un scénariste avait imaginé une telle histoire, les critiques l'auraient trouvée complètement invraisemblable. Comment une jeune Américaine est devenue, en à peine cinq ans, une star hollywoodienne (notamment l'une des vedettes favorites du grand Alfred Hitchcock), puis une vraie princesse : incroyable, mais...

Comment, le lundi 13 septembre 1982, sur une route de la Côte d'Azur, ce roman rose a tourné au drame à la suite d'un terrible accident de voiture...

« Ce jour-là, écrivait Françoise Ducout dans la préface d'un livre consacré à la comédienne et à l'épouse du prince Rainier, ce jour-là, pour la première fois, la princesse Grace et Grace Kelly nous déçoivent. Car si nous acceptons les légendes, comment supporterions-nous qu'on nous dise que les contes de fées peuvent mal finir ? »

Conte de fées et tragédie pour une seule et même personne : la réalité, parfois, dépasse la fiction. C'est ce que nous allons nous attacher à montrer ici, en retraçant la carrière de la comédienne et l'itinéraire de la femme. Étant bien entendu que, pour Grace Kelly comme pour d'autres personnalités, la vie réelle est toujours un peu plus complexe que les belles images qu'on peut avoir à l'esprit.

Sommaire

L'IRLANDAISE DE PHILADELPHIE

u fond, son destin était déjà là, dans ce petit coin d'Irlande, dans l'ouest de l'île, qui regarde directement vers l'Amérique : le comté de Mayo, dans la province de Connacht, à quelques kilomètres seulement de la côte atlantique. C'est là en effet, à la périphérie du village de Newport, que vivait le grand-père de Grace Kelly. C'est de là que cet homme nommé John Henry Kelly a pris le bateau pour les États-Unis, dans les années 1860.

Séquence suivante : en 1869, John Henry Kelly rencontre Mary Ann Costello (la future grand-mère de Grace) à Rutland, dans le Vermont. Il l'épouse peu de temps après. Et les grands-parents Kelly s'installent à Philadelphie vers 1875 : cette grande ville de Pennsylvanie deviendra, dès lors, le cadre naturel de la famille Kelly. John Brendan Kelly, l'un des dix enfants des époux Kelly-Costello, y fera la connaissance de sa future femme : Margaret Katherine. Eux-mêmes mettront au monde quatre enfants – dont Grace, troisième du nom.

Un Irlandais fonceur et une Américaine d'origine allemande, très sportive : les parents Kelly inculqueront à leurs quatre enfants le respect de la famille, le goût du travail et de la détente dans le sport – quelques-unes des qualités qui ont fait la force du jeune peuple américain.

Grace Kelly en tirera finesse et noblesse, deux éléments de sa personnalité incontestablement naturels et qui ne pourront qu'être renforcés par la vie exceptionnelle qu'elle connaîtra.

L'aventure familiale

« On s'expose à ne pas comprendre le charisme de Grace Kelly si l'on ne s'avise qu'il correspond à l'un des traits profonds de l'âme irlandaise », écrit très justement Bertrand Meyer dans un livre qu'il a consacré à l'épouse du prince Rainier, en 1984. Ce caractère irlandais, c'est un cocktail de courage, d'entêtement et d'opiniâtreté, auquel s'ajoute une forte dose de spiritualité et de foi catholique – vertus et style de vie qui

sont tout particulièrement la marque de la grand-mère de Grace, Mary Ann Kelly, et de son père, John Brendan Kelly. Dans le cas de Grace, il faudra bien sûr y ajouter la part maternelle, sa mère, Margaret Majer, ayant de nobles origines allemandes liées au duché de Wurtemberg. Le tempérament irlandais très vivace, plus une certaine rigueur allemande : voilà, comme on dit aujourd'hui, un métissage assez fort, qui peut expliquer la manière très sûre avec laquelle Grace Kelly a abordé les différentes étapes de sa vie.

Du côté irlandais, il faut remonter aux années 1845, dans le comté de Mayo, à l'extrême ouest de l'île, où le grand-père de Grace, John Henry Kelly, eut une vie très difficile : dans cette région économiquement faible, coupée (par le fleuve Shannon) de la prospérité des terres plus proches de Dublin, John Henry Kelly vit dans une petite ferme où il tente de cultiver légumes et céréales et d'élever quelques têtes de bétail. Mais, à partir de 1845, cette partie de l'Irlande et ses agriculteurs sont frappés par un terrible fléau : une maladie de la pomme de terre, qui prive les habitants de leur principale culture nourricière. C'est le début d'une période de famine, et le seul salut possible réside dans le départ – si l'on a eu la chance de survivre à la catastrophe.

Vacances dans le New Jersey, en 1935 : M. et Mme Kelly, Margaret (10 ans), John junior (8 ans), Grace (6 ans), et Elizabeth-Anne (2 ans).

En outre, cette région où vivait le grand-père de Grace Kelly avait la réputation d'être particulièrement hostile aux Anglais, que les Irlandais les plus farouches considéraient comme de véritables occupants (situation toujours valable, en 1989, en Irlande du Nord); on raconte ainsi que John

Henry Kelly fut plusieurs fois compromis dans des soulèvements contre les Anglais et que ce serait un des motifs de son émigration aux États-Unis. Les révoltes irlandaises connurent une fin d'hiver particulièrement dure en mars 1867, l'armée anglaise les ayant alors sévèrement réprimées.

C'est précisément cette année-là que le grand-père de Grace Kelly, qui n'a pas plus de vingt ans, décide de quitter sa terre natale : depuis Westport, il s'embarque pour les États-Unis à bord du *City of Boston.*

John Henry Kelly, solide gaillard de 1, 85 m et 90 kg, se retrouve ainsi à Rutland, petite ville du Vermont; et c'est là qu'en 1869 sa vie va prendre une nouvelle tournure : il rencontre une jeune fille de dix-sept ans, Mary Ann Costello, originaire de la même région d'Irlande et installée aux États-Unis avec ses parents depuis l'âge de treize ans. Non seulement le grand-père de Grace tombe follement amoureux, mais grâce à Mary Ann, qu'il épouse très vite, en cette année 1869, il trouve du travail à Schuylkill, à la périphérie de Philadelphie : un cousin de sa femme, John Costello, lui procure un job dans une filature où il est lui-même contremaître.

Le " tempérament " irlandais vu par John Ford : *L'Homme tranquille*, avec John Wayne et Maureen O'Hara

John Henry et Mary Ann Kelly, qui ont tout à conquérir, forment un couple de « bosseurs »; leur persévérance dans le travail sera d'autant plus grande qu'ils auront dix enfants à nourrir ! Avec une maisonnée aussi importante, il n'est pas étonnant que la grand-mère de Grace ait assez vite dominé le couple Kelly : « J'ai été à la fois le banquier

HISTOIRE D'UN IMMIGRANT

« Il serait peu réaliste d'idéaliser l'arrivée de John Henry Kelly aux États-Unis. Le grand-père de Grace débarque dans une Amérique hostile et âpre. Les Irlandais, par centaines de milliers, s'entassent dans les ghettos des villes de la côte Est : des quartiers d'immigrants misérables et insalubres... Ces Irlandais vivent le plus souvent en vase clos. Ils ont leurs journaux, leurs sociétés d'entraide, leurs églises, leurs codes, leurs fêtes... »

(Extrait de *Grace*, de Bertrand Meyer, éd. Presses-Pocket, 1986.)

qui reçoit l'argent, le comptable qui tient les livres, le caissier et le trésorier-payeur, confia-t-elle à un journaliste en 1925. Il m'a fallu tout apprendre en matière d'épicerie, d'étoffes et de mercerie, de combustibles et d'éclairage, le travail du plâtrier, la pose du papier peint et la menuiserie... C'est cela, être la femme d'un homme pauvre et la mère de dix enfants. » À la suite de quoi le reporter de l'*American Magazine* ajouta ce commentaire personnel : « Ah, si nous avions un million de mères comme Mary Kelly ! » (Cité par Sarah Bradford dans *Grace*, éd. J'ai lu, 1986.)

Dans ce même article, la grand-mère de Grace expliquait également la manière dont elle avait élevé ses dix enfants, leur apprenant très sévèrement la valeur de l'argent et leur montrant que chaque *cent* et chaque dollar se gagnait durement. L'*American Magazine* reprenait à cet égard une anecdote concernant plus particulièrement Jack Kelly, futur père de Grace : adolescent, Jack rêvait d'une paire de patins à glace et demanda tout naturellement à sa mère si elle pouvait les lui acheter; à quoi Mary Kelly répondit avec le plus grand sérieux du monde : « Ces patins, tu devras les gagner et travailler un peu plus dur pour les avoir. Je te prie d'aller à la bibliothèque municipale et d'étudier de quoi sont faits les patins à glace – comment des hommes ont sué sang et eau pour extraire le métal de la mine, comment le bois a été extrait des forêts et comment le cuir est venu de la peau d'un animal. Je voudrais que tu comprennes que cette paire de patins à glace provient du dur travail de beaucoup d'autres personnes, et que tu travailles dur à ton tour pour les obtenir et en profiter... Tu me feras un compte rendu de ta visite à la bibliothèque. » Le jeune Jack Kelly dut s'exécuter et ce n'est qu'après lui avoir fait subir cet examen très approfondi que sa mère lui acheta les fameux patins !

Voilà donc le genre d'éducation que reçut John Brendan Kelly, neuvième enfant de la famille et futur père de Grace. Et cette éducation, fondée sur une grande rigueur morale, il la transmettra plus tard à ses propres enfants.

Père courage

Il faut noter encore que le dixième enfant des grands-parents Kelly fut une fille qu'ils prénommèrent Grace : celle-ci mourut prématurément à l'âge de vingt-deux ans; la

future princesse de Monaco hérita de son prénom mais aussi du goût que cette tante, qu'elle n'a jamais connue, avait pour le théâtre.

Quant au père de Grace Kelly, John Brendan (que tous ses familiers appelaient Jack), il a été le prototype du self-made man : comme plusieurs de ses frères, il quitta l'école très tôt (vers treize, quatorze ans) pour prendre un emploi dans le bâtiment; mais, à vingt ans, Jack Kelly était déjà contremaître et dirigeait plusieurs grands chantiers de Philadelphie. C'était un jeune homme grand et solide, qui en voulait, comme on dirait aujourd'hui, et mettait dans toutes ses activités (travail ou loisirs) la

John Brendan Kelly, père de Grace : un " self-made man " de Philadelphie.

fameuse ténacité et le courage irlandais. Pour ne prendre qu'un seul exemple, lorsque les États-Unis décidèrent de participer à la Première Guerre mondiale, en 1917, le père de Grace ne put entrer dans l'aviation en raison de sa myopie; mais il persévéra et se fit engager dans le corps des ambulanciers qui intervint sur le théâtre des opérations, en France.

« L'histoire de Jack Kelly, écrit John McCallum dans *That Kelly Family* (éd. Barnes and Company, 1957), est celle de l'ascension d'une famille américano-irlandaise tout à fait remarquable, composée d'hommes et de femmes dotés d'une force et d'une beauté physiques exceptionnelles, d'une capacité de travail énorme et d'un instinct de la réussite. » Chez Jack Kelly, cette réussite est non seulement professionnelle (il finit par fonder sa propre entreprise de briqueterie et participe à la construction de tous les édifices importants de Philadelphie), mais aussi sportive : dès son plus jeune âge, le père de Grace se passionne pour l'aviron et, en 1920, il gagne la médaille d'or de skiff aux Jeux Olympiques d'Anvers. À son retour à Philadelphie, on lui rendra ce vibrant hommage : « Monsieur Kelly, vous êtes de ceux qui, dans le monde entier, font respecter et admirer les valeurs américaines : la force, le courage, la compétence et l'esprit de décision. »

Une grande avenue de Philadelphie, en 1940.

Enfin, le couronnement intime de cette vie déjà bien remplie a lieu le 30 janvier 1924 : ce jour-là, Jack Kelly épouse Margaret Katherine Majer, qu'il connaissait et

PSFS

fréquentait depuis dix ans. Margaret appartient à la bonne bourgeoisie de Philadelphie : dans son cas, il s'agit d'une grande famille d'origine allemande (ses parents possèdent l'immense château de Helmsdorf, près du lac de Constance). Margaret Katherine Majer est une belle femme, très sportive, nageuse accomplie, et qui fut un temps professeur d'éducation physique. « C'est à sa mère que Grace Kelly doit sa blondeur et son allure patricienne », écrira Bertrand Meyer.

Philadelphie : l'ancien (l'Independence Hall) et le moderne.

En 1925, un an après leur mariage, Jack et Margaret Kelly s'installent à Germantown, banlieue chic de Philadelphie, dans une superbe maison de quinze pièces, que le père de Grace a fait construire avec les briques de sa propre société. Désormais, les Kelly ont une position sociale très enviable, loin des problèmes qu'avait pu avoir John Henry Kelly, le grand-père qui avait quitté l'Irlande dans des conditions difficiles. Vu la place importante que les parents de Grace allaient prendre à

Philadelphie (« Dans cette ville, les Kelly étaient aussi évidents que la grande gare de Pennsylvanie qui s'érige sur la 30e Rue », lit-on dans le livre de John McCallum déjà cité), on a souvent comparé les Kelly à une certaine famille Kennedy de Boston, autre ville américaine investie par les Irlandais. On sait aujourd'hui que le clan Kennedy eut beaucoup plus d'influence et fut appelé aux plus hautes destinées.

C'est donc dans leur demeure de Germantown que Jack et Margaret Kelly vont mettre au monde leurs quatre enfants : le premier est une fille, que le couple prénommera Margaret, mais que tout le monde appellera Peggy (elle naît en juin 1925); le deuxième voit le jour le 14 mai 1927, c'est un garçon, qu'on appelle John Brendan Junior, selon la tradition américaine, et qui aura ensuite le surnom familier de « Kell »;

le troisième enfant Kelly est Grace, née le 12 novembre 1929; et la future princesse sera suivie d'une autre fille, le 25 juin 1933 : Elizabeth Anne, dite Lizanne.

Une jeune fille raffinée

La famille Kelly est au complet. Les destinées de chacun sont en marche...

Dans la maison de Germantown, Grace Kelly a vécu une enfance heureuse et sans problèmes majeurs, mis à part les contrariétés habituelles des enfants et des adolescents qui voudraient être encore plus aimés qu'ils ne le sont ou qui, ponctuellement, à propos de tel ou tel événement, trouvent que leur mère ou leur père a davantage favorisé le frère aîné ou la sœur cadette !

LA MAISON DE L'ENFANCE

« La façade est parée de marbre blanc, avec un péristyle à deux colonnes. Deux étages de fenêtres à guillotine. Un jardin, qui n'est ni de proportions modestes ni un parc, mais fort séduisant. De grands arbres, des pelouses bien soignées devant la maison et, derrière, un vaste jardin potager avec une végétation d'herbes folles et d'acacias touffus, de rosiers sauvages et de fleurs dont la floraison s'échelonne au gré des saisons... »

(Extrait de *Grace*, de Bertrand Meyer, éd. Presses-Pocket, 1986.)

À cet égard, Grace n'avait pas forcément la position la plus enviable : étant la troisième enfant, elle avait parfois l'impression que son père lui préférait son aînée Peggy et que la petite dernière, Lizanne ou Lizzie, était la favorite de sa mère.

Cependant, il n'y avait rien là de dramatique : Grace était parfaitement intégrée à la famille, se livrait avec ses sœurs à de longues séances poupées et participait à tous les jeux auxquels la famille aimait bien jouer – notamment à Ocean City, dans le New Jersey, où les Kelly possédaient un petit bungalow et passaient leurs vacances d'été.

Grace est quasiment la petite fille modèle, que Sarah Bradford décrit ainsi dans sa biographie de la princesse de Monaco : « Elle tenait tout à la fois de son père et de sa mère, tant au physique qu'au moral; elle représentait une combinaison heureuse des

CARTE D'IDENTITÉ

Nom : Kelly

Prénom : Grace

Date de naissance
12 novembre 1929

Lieu de naissance :
Philadelphie, État de Pennsylvanie (U.S.A.)

État civil : mariée au prince Rainier III de Monaco, le 19 avril 1956.

Trois enfants : Caroline, Albert et Stéphanie.

particularités irlandaises et allemandes. Elle avait la physionomie délicate de sa mère, mais la mâchoire puissante des Kelly, leurs yeux bleus, et les dents "si régulières qu'on les aurait crues fausses", comme disait un ami de la famille... »

Tant en famille qu'au couvent des Dames de l'Assomption, à Ravenhill – où elle fit ses études primaires –, Grace reçut une éducation stricte et très classique, où les vertus de charité chrétienne, d'économie, de générosité et de respect d'autrui jouaient un grand rôle. Dans la maison familiale, il était obligatoire de dire le bénédicité avant les repas : c'était un véritable rituel, par lequel l'aînée, Peggy, entamait la prière en remerciant le Seigneur de bénir la nourriture; puis intervenait Kell, le deuxième enfant Kelly, qui recommandait de traiter autrui avec tous les égards dus à la personne humaine; la jeune Grace suivait avec une réplique prônant la politesse et l'amabilité au service des autres; et la petite Lizanne refermait ce cérémonial par un « Amen » des plus orthodoxes (raconté par John McCallum dans *That Kelly Family*).

Quant à l'école de Ravenhill, où Grace entra à l'âge de cinq ans (pour y rester jusqu'à quatorze ans) et où les élèves étaient vêtues d'un petit uniforme bleu marine très strict, les religieuses qui y dispensaient l'enseignement décrivirent la jeune Grace comme « une enfant toujours raffinée et gentille ».

Grace Kelly, troisième du nom.

S'il est un seul domaine où Grace Kelly ne fut pas considérée comme tout à fait à la hauteur au sein de sa famille, ce fut celui du sport : bien que Grace obtînt généralement des résultats honorables en hockey et en basket-ball, le niveau et les critères exigés par son père en la matière étaient beaucoup trop élevés pour qu'elle suive vraiment. Il est vrai aussi que Grace avait, toute jeune, une tendance à l'asthme

et une sinusite quasi chronique qui la rendaient assez fragile pour des efforts sportifs trop prolongés.

Somme toute, Grace est une enfant et une adolescente assez romantique, qui a son monde à elle et ses moments de rêverie : « Grace était une enfant timide, qui possédait une espèce de calme intérieur, de tranquillité d'âme bien particulière. Elle pouvait passer des heures assise sur son lit, à s'amuser avec ses poupées... », dira sa mère (citée par Bertrand Meyer dans *Grace*).

Sport viril pour le frère aîné, et, déjà, attirance de Grace pour les fleurs.

Donc, plutôt que de s'adonner très sérieusement au sport comme d'autres membres de la famille, la jeune Grace aime bien écrire des poèmes sur la nature, en particulier sur les fleurs, et commence également à s'intéresser à la danse et au théâtre.

POÈME DE JEUNESSE

Histoire d'une fleur :
« C'est une petite fleur qui paraît bienheureuse dans la tiédeur du soleil et qui regarde aller et venir, sans battre un cil, tandis qu'autour d'elle c'est la lutte pour vivre et l'effort pour survivre... Mais n'a-t-elle pas aussi ses guerres secrètes, cette petite fleur qui doit affronter la froideur glaciale de la nuit, la pousse irrésistible d'une grosse racine qui cherche sa place au soleil et qui, elle, peut supporter la neige et la pluie ?... Et cependant, rien ne paraît sur le lisse et rose visage de la petite fleur. »

(Cité par Gwen Robyns dans *Princess Grace*, éd. D. MacKay, 1976.)

On peut passer rapidement sur la toute première prestation scénique de Grace Kelly. Elle incarna, avec tout le sérieux dont une enfant de six ou sept ans est capable, la Vierge Marie lors d'une représentation de la Nativité dans son école religieuse de Ravenhill. Même si l'une des enseignantes, sœur Elizabeth, fit un commentaire très élogieux sur l'attitude de Grace en scène (« Elle avait compris l'intensité dramatique de la scène... elle fit son entrée d'un air

Naissance d'une vocation

majestueux et déposa l'Enfant Jésus avec douceur... »), on ne pouvait pas encore parler de vocation.

C'est seulement quatre ans plus tard, en 1940 (Grace a onze ans), que la jeune fille est très impressionnée par une troupe de théâtre amateur du quartier d'East Falls, à Philadelphie : les Old Academy Players. Après avoir vu sur scène ces comédiens tout à fait inconnus, la jeune fille est très enthousiaste et fait déjà part à son père de son désir de devenir elle aussi actrice. Un an plus tard, à douze ans, elle joue elle-même, au sein de cette troupe, une pièce intitulée *Don't Feed the Animals* (*Défense de nourrir les animaux*). Puis Grace Kelly se produit dans une pièce écrite par son oncle George : *The Torch-Bearers* (*Les Porte-flambeaux*); à cette occasion elle reçoit sa première bonne critique, dans un journal de Philadelphie : « Mlle Kelly a magnifiquement passé son examen théâtral. S'il doit y avoir un "porte-flambeau" dans la famille Kelly, ce sera incontestablement la jeune Grace. »

Le charme naissant de la jeune fille.

En 1943, alors qu'elle va sur ses quatorze ans, Grace Kelly quitte le couvent de Ravenhill pour la Stevens School. L'enfant plutôt maigre qu'elle a été jusqu'alors se métamorphose en une adolescente pleine de charme et déjà rayonnante, comme en témoigne Ann Levy Siegel, une de ses camarades de l'époque : « On n'avait jamais vu une telle beauté... Dès l'instant où quelqu'un lui était présenté, il souhaitait faire plus ample connaissance avec elle... Elle était toujours souriante... »

SES GOÛTS D'ADOLESCENTE

Musique : Grieg et Debussy pour le classique, Benny Goodman pour le jazz.
Acteurs : Joseph Cotten, Ingrid Bergman.
Chanteuse : Jo Stafford.
Plat favori : le hamburger.
Boisson favorite : le « noir et blanc » (cocktail de lait, chocolat et vanille).

(Relevé dans son almanach de dernière année, à la Stevens School, et cité dans *Grace*, de Sarah Bradford.)

C'est l'âge des premières amours. Grace sortit avec un jeune homme du nom de Harper Davis qui mourut quelques années plus tard d'une sclérose en plaques, en avril 1953; Grace Kelly, déjà célèbre à Hollywood, revint spécialement à Philadelphie pour assister aux obsèques du jeune homme. C'est aussi l'âge des sorties avec les copains : au drugstore pour manger une glace ou un hamburger, au cinéma pour aller voir les grands succès de l'époque (*Le Chant de Bernadette* avec Jennifer Jones, *Casablanca* avec Humphrey Bogart et Ingrid Bergman, *La Route semée d'étoiles* avec Bing Crosby...).

Son film et son actrice préférés : *Casablanca* et Ingrid Bergman.

En 1947, lorsqu'elle termine ses études secondaires, Grace Kelly ambitionne plus que jamais de jouer un jour sur les scènes de Broadway. Elle veut s'inscrire au Bennington College où l'enseignement comporte des cours d'art dramatique; mais la jeune fille n'est pas acceptée, en raison d'un niveau insuffisant en mathématiques. Dès lors, Grace reporte ses espoirs sur l'*American Academy of Dramatic Arts* de New York. C'est l'été 1947, le moment où Grace Kelly va solennellement annoncer ses intentions à son père : « Je veux étudier très fort pour devenir une grande actrice. » M. Jack Kelly, qui ne porte pas particulièrement le métier de comédien dans son cœur, avertit tout aussi sérieusement sa fille : « C'est une profession qui comporte beaucoup de risques... Tu ne peux pas y entrer à moitié. Il faut aller jusqu'au bout et faire énormément de sacrifices : si tu atteins la célébrité, tu n'auras pratiquement plus de vie privée. Le public est très exigeant... Est-ce que tu es prête à payer ce prix ? » (*That Kelly Family*, de John McCallum.) La réponse de Grace ne se fait pas attendre. Elle lance un « Oui, papa ! » très impulsif et ajoute : « Je ne te décevrai pas ! »

En 1947, à 18 ans, Grace choisit la carrière de comédienne.

À l'Académie des arts dramatiques de New York, Grace Kelly est introduite par sa tante Mary qui y a elle-même suivi des cours autrefois. Le secrétaire-trésorier de l'académie, Emil Diestel, fait passer à Grace une audition le 20 août 1947. La jeune fille est ainsi notée : « Bonne présence en scène, instinct dramatique assez sûr, lecture du rôle intelligente, mais voix mal placée. » Malgré

cette dernière petite réserve, Grace Kelly est admise à l'académie en octobre 1947. Elle va avoir dix-huit ans.

LA ROUTE DES ÉTOILES

AMERICA
REPUBLIC

Automne 1947-automne 1951 : quatre petites années vont s'écouler entre les premiers cours d'art dramatique que Grace Kelly va suivre à New York et son premier grand rôle à Hollywood, dans Le train sifflera trois fois, *aux côtés de Gary Cooper.*

L'ascension de la jeune Grace est particulièrement rapide : un rôle sur scène à Broadway, en 1949, quelques téléfilms, un premier petit rôle à Hollywood au cours de

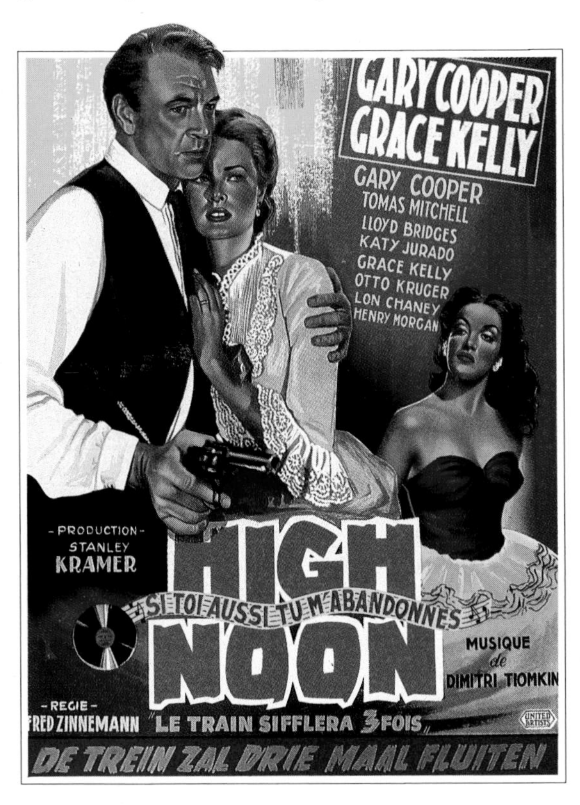

l'été 1950 (dans Quatorze Heures, *de Henry Hathaway), enfin le metteur en scène Fred Zinnemann la convoque de nouveau dans la capitale du cinéma pour son premier vrai personnage, la femme du shérif du* Train sifflera trois fois. *Il n'en faut pas plus pour que Grace Kelly emprunte le chemin des étoiles.*

Certes, en ce début des années 50, les grands studios hollywoodiens étaient encore bien en place; la « fabrication » d'une vedette était peut-être plus facile et plus rapide qu'aujourd'hui (les grandes compagnies avaient alors pour politique délibérée de façonner des stars qui feraient rêver).

Il n'en reste pas moins qu'en très peu de temps, et en deux films seulement (Le train sifflera trois fois *et* Mogambo), *Grace Kelly fait la preuve de son extraordinaire photogénie et de sa présence à l'écran. Il est tout de même assez rare que ce processus dit « de consécration » aille aussi vite. Grace Kelly s'est à peine introduite dans la machine hollywoodienne, et, pour utiliser une image familière, on sent déjà en elle la graine de star!*

En cet automne 1947, Grace Kelly commence à se mesurer à la capitale artistique et culturelle des États-Unis, s'éloignant peu à peu de sa jeunesse confortable à Philadelphie et découvrant progressivement l'univers plus dur de New York.

New York, New York !

Mais, d'emblée, la jeune fille se lance sur cette voie avec une force de caractère et une détermination qu'elle tire de sa famille et de son éducation : « Mon père a été champion olympique d'aviron, mon frère aussi et mon oncle a obtenu le prix Pulitzer pour l'une de ses pièces; tout ce que les Kelly entreprennent, ils le font bien ! » confie-t-elle à l'un de ses amis d'alors, Bill Allyn.

C'est donc dans cet esprit de battante qu'elle commence à suivre les cours de l'Académie des arts dramatiques de New York, école assez réputée puisque des comédiens devenus célèbres, comme Spencer Tracy, Lauren Bacall et Kirk Douglas y sont passés. L'enseignement y est d'ailleurs assez coûteux (500 dollars par trimestre, somme importante pour l'époque) et d'un niveau élevé : l'académie est loin de se limiter aux leçons d'art dramatique; les professeurs inculquent également à leurs jeunes élèves les bonnes manières, les principes de la bienséance et les règles de bonne conduite en société; enfin, le corps n'est pas négligé, puisque des cours

de danse et même d'escrime font partie du programme. Ce que la brochure publicitaire de l'école résume ainsi : « L'étude et la pratique des moyens et des modes d'expression sont importantes; la recherche et le développement des ressources de la nature humaine le sont plus encore. » (Cité par Sarah Bradford dans *Grace*.) La pratique de l'escrime servira d'ailleurs à Grace Kelly, quelques années plus tard, pour un film intitulé *Le Cygne*.

Kirk Douglas est passé par la même école d'art dramatique.

À l'Académie des arts dramatiques (qui se situait au croisement de la 57e Rue et de la Septième Avenue), la jeune aspirante comédienne apprend aussi à se débarrasser de son accent légèrement nasillard de Pennsylvanie et à adopter une sorte de diction neutre, se rapprochant de l'accent anglais distingué.

Parallèlement à ses études, Grace pose pour des photos publicitaires.

Grace Kelly, dont toutes ses amies d'alors disent qu'elle était très travailleuse et perfectionniste, se glisse ainsi dans le moule qu'impose l'école et respecte l'une des règles importantes de l'établissement : « Adoucir votre accent de manière qu'on ne puisse pas déterminer votre origine géographique exacte. »

Enfin, l'académie va influer sur la personnalité naissante de Grace Kelly dans le domaine du maquillage et de la garde-robe;

de nouveau, elle est en accord avec l'un des préceptes de l'établissement : « Un acteur ou une actrice doit savoir s'habiller avec élégance, goût et vérité. » En ce qui concerne le maquillage, l'académie a un contrat avec la société Elizabeth Arden, qui confectionne des produits tout particulièrement pour ses élèves. Bref, grâce à cet enseignement exigeant en tout point, la Grace Kelly élégante, racée, raffinée que l'on connaîtra un peu plus tard à l'écran est déjà en gestation.

Avec ce physique pour le moins attrayant, Grace Kelly entame aussi, parallèlement à ses cours d'art dramatique, une modeste carrière de mannequin. Modeste, parce qu'elle ne parvient pas à pénétrer vraiment dans l'univers sophistiqué de la mode : elle se contente de poser pour des photos publicitaires,

LE TEINT ET
LE STYLE KELLY

« Grace était devenue très habile en matière de maquillage. Elle tenait compte de sa peau claire et de ses cheveux blonds pour se créer un style très personnel, qui ne devait rien à la mode. Elle sut très vite que sa carnation et la délicatesse de ses traits ne supporteraient pas un maquillage trop poussé. Le goût des années 50 pour les yeux soulignés d'un mascara épais, les lèvres éclatantes et les sourcils renforcés ne lui convenait pas... »

(Propos de sa sœur cadette Lizanne, cités par Sarah Bradford dans *Grace*.)

faisant, avec sa jolie silhouette, la promotion de produits d'entretien, d'appareils ménagers, de dentifrices ou de boissons non alcoolisées. Il faut dire que la jeune Grace (elle n'a pas encore vingt ans) reste très pudique et refuse, par exemple, de poser pour des sous-vêtements. Cela provoquera, dans l'hebdomadaire *Time*, le commentaire suivant d'un photographe de l'époque, Ruzzie Green : « Grace Kelly n'est pas un *top model*. Il lui manque une aura, du sex-appeal. Elle a de belles épaules mais pas de poitrine. » L'analyse, peut-être exacte ponctuellement, dénote tout de même un total manque de flair chez le photographe en question ! D'ailleurs, Grace Kelly posa aussi, en cette année 1948, pour des photos relativement plus prestigieuses, qui lui valurent la couverture de magazines sophistiqués comme *Cosmopolitan* et *Redbook*.

Vers l'indépendance

En tout cas, ces séances de photos, qui rapportent à la jeune fille entre 7 et 25 dollars de l'heure, lui permettent d'arrondir ses fins de mois, et même de devenir relativement indépendante de ses parents pour financer sa deuxième année d'études à l'académie (du 15 septembre 1948 au 15 mars 1949).

Grâce à cette autonomie financière, la troisième enfant des Kelly de Philadelphie peut déménager : elle quitte le *Barbizon Hotel*, qui tenait davantage de la pension pour jeunes filles, et s'installe dans un agréable trois pièces, à l'angle de la 66e Rue Est et de la Troisième Avenue.

Il faut dire aussi que Grace Kelly a alors fortement besoin de cette indépendance :

entre le *Barbizon Hotel* et ce nouvel appartement, elle était retournée habiter chez ses parents, ce qui l'obligeait à des aller et retour quotidiens très fastidieux entre Philadelphie et New York (départ à 7 heures du matin et retour tard dans la soirée). Cette solution familiale était devenue d'autant moins agréable que les relations de Grace avec ses parents commençaient à être un peu plus tendues. En effet, plusieurs incidents modifient singulièrement les rapports de Grace avec sa mère et son père. Tout d'abord, les époux Kelly reprochent à leur fille la liaison qu'elle semble avoir avec un professeur de son cours plus âgé qu'elle (Don Richardson). Un peu plus tard, par l'intermédiaire d'un ami de la famille Kelly, la jeune Grace se trouve amenée à piloter dans New York un hôte très illustre de la ville, le shah d'Iran; leurs sorties nocturnes sont forcément très remarquées et, au terme de son séjour à New York, le shah fait un cadeau somptueux à Grace Kelly (trois bijoux en or de toute beauté, venant tout droit de chez Van Cleef); à Philadelphie, la mère de Grace lui fait une scène terrible, lui demandant de renvoyer immédiatement

Une histoire de bijoux l'oppose à sa mère...

ces bijoux. Finalement, Grace Kelly gagnera de justesse cette partie serrée, en affirmant avec raison : « Mais, maman, je ne peux pas faire cela : on ne refuse pas le cadeau d'un roi ! »

Au total, donc, la jeune fille, probablement endurcie par la vie new-yorkaise, affermit sa personnalité et acquiert une certaine assurance pour se lancer complètement dans la carrière de comédienne. Grâce à son professeur Don Richardson, elle est introduite chez Edith van Cleve, grand impresario de l'époque, qui s'occupait également de Marlon Brando.

L'actrice officielle

En un mot, Grace Kelly est tout à fait prête pour des débuts assez prestigieux au théâtre.

Au début de l'été 1949, le diplôme de l'Académie d'art dramatique de New York en poche, Grace Kelly est engagée au théâtre de New Hope, en Pennsylvanie (non loin de Philadelphie), où elle joue plusieurs pièces. Mais c'est quelques mois plus tard, en novembre, qu'elle fait ses débuts officiels sur une scène de Broadway : à partir du 16 novembre, et pendant deux mois, elle

SES QUALITÉS VUES PAR SON AGENT

« Don Richardson m'avait appelée pour me dire qu'il avait une très jolie fille dans sa classe. Il pensait qu'elle disposait de grands atouts pour faire carrière au cinéma... J'allai donc la voir, et fus 100 % d'accord avec lui : elle était jolie, s'habillait avec goût, se déplaçait avec aisance, avait une bonne diction et toutes les qualités requises, à mon avis, pour faire un jour des films. »

(Propos d'Edith van Cleve, cités par Sarah Bradford, dans *Grace*.)

joue dans *Père*, du Suédois August Strindberg, au Cort Theatre; dans cette pièce assez dure, un officier de cavalerie est conduit à la folie et à la mort par son épouse, qui lui fait croire que sa fille n'est pas de lui; Grace Kelly joue le rôle de la fille, face à un acteur très coté : Raymond Massey.

Cette grande première new-yorkaise est d'autant plus gratifiante que la jeune fille a été choisie pour le rôle parmi vingt et une autres jeunes comédiennes. C'est Raymond Massey lui-même, également metteur en scène de la pièce, qui remarqua Grace Kelly dans cet essaim de jeunes actrices. Il dira à son propos : « Elle m'a paru la plus talentueuse. Tout au long

Raymond Massey (ici avec Patricia Neal, dans *Le Rebelle* de King Vidor) est son premier partenaire sur scène.

des répétitions, elle fut impressionnante d'enthousiasme, de professionnalisme et de politesse. » (Cité par James Spada dans *Grace. Les vies secrètes d'une princesse*, éd. J.-C. Lattès, 1988.)

En fait, cette production de *Père* ne fut pas un énorme succès dans les annales de Broadway. Mais plusieurs journalistes remarquèrent la jeune Grace; ainsi, le critique George Jean Nathan, qui, dans l'ensemble, se montrait très sévère, fit une exception à son égard : « Sans la présence de la jeune Grace Kelly, tout à fait convaincante dans le rôle de la fille, nous n'aurions vu qu'une troupe quelconque dans l'un de ses mauvais jours ! » (Cité par James Spada et Sarah Bradford.)

Premier film, mais petit rôle : *Quatorze Heures*, avec Richard Basehart et Paul Douglas.

Après ce succès personnel, la jeune comédienne (elle vient d'avoir vingt ans) va attendre quelque temps avant de retrouver les

scènes new-yorkaises. En revanche, grâce à son agent Edith van Cleve, elle va faire ses débuts à l'écran, cinéma et télévision.

Pendant l'été 1950, elle connaît sa première aventure hollywoodienne : elle obtient un rôle secondaire dans *Fourteen Hours* (*Quatorze Heures*), que Henry Hathaway tourne pour la Twentieth Century-Fox. Ce drame, inspiré d'un fait divers, raconte le suicide d'un jeune homme qui veut se tuer en se jetant du quatorzième étage d'un immeuble; Grace incarne Mme Fuller, jeune femme qui assiste au suicide depuis l'immeuble d'en face, alors qu'elle est en train de discuter de son divorce avec un avocat. Le film n'eut pas un succès fracassant, et la critique remarqua surtout la prestation de Richard Basehart, qui incarnait le jeune suicidaire.

Henry Hathaway, réalisateur de *Quatorze Heures* (ci-dessus, au Festival de Deauville 83).

À propos de *Quatorze Heures*, Grace Kelly gardera le souvenir d'un séjour au *Beverly Hills Hotel*, à Los Angeles, et de son premier cachet de cinéma, qui lui permit de s'acheter une étole de vison : « J'en désirais une depuis très longtemps, mais je n'avais pas eu les moyens de me la payer jusque-là », dira-t-elle

de cette expérience qui, visiblement, la marqua pour des raisons extra-cinématographiques !

En vérité, Grace Kelly ne se sent pas encore prête pour une carrière au cinéma à 100 % et se paie même le luxe de refuser le contrat que lui offre la Metro Goldwyn Mayer. La jeune comédienne préfère retourner à New York et rechercher la confirmation sur les scènes de Broadway.

Théâtre et télé

Mais, de retour à Manhattan, elle ne reçoit guère d'offres des théâtres, et c'est essentiellement à la télévision que Grace Kelly va consolider son expérience d'actrice. C'est alors le grand essor du petit écran aux États-Unis, le moment où l'on croit sincèrement, dans les milieux du cinéma, que ce nouveau moyen d'expression menace l'avenir du septième art.

Grâce à Fred Coe, important producteur, Grace Kelly obtient son premier rôle télévisuel dans *Beth Meriday*. À partir de là, elle jouera dans de nombreuses dramatiques (alors filmées en direct) et séries : ainsi, la série CBS *The Web*, pour laquelle travaillent également Paul Newman et Jack Palance; *Treasury in Action*, série policière dont les vedettes sont Lee Marvin et Charles Bronson; ou encore les dramatiques produites par la Philco Playhouse et le Kraft Television Theater, qui révèlent également des comédiens tels que James Dean, Anthony Perkins et Lee Remick.

La jeune comédienne commence à faire parler d'elle...

Dans ce contexte, Grace Kelly fit, dans le magazine *Life*, l'objet d'un reportage consacré aux « TV Leading Ladies » (« Les nouvelles vedettes féminines de la télé ») : l'hebdomadaire se montra très élogieux à son égard, soulignant l'éventail de cette jeune comédienne qui pouvait, en l'espace de quelques jours, « incarner une chanteuse de music-hall en bas résille, puis une jeune étudiante, une riche héritière ou encore une enseignante ».

Vers 1950, elle fait connaissance de l'acteur français Jean-Pierre Aumont.

À cette époque, Grace Kelly fit la connaissance de l'acteur Jean-Pierre Aumont, dont elle incarnait l'épouse dans un téléfilm intitulé *The Way of an Eagle*. Les deux comédiens se lièrent d'amitié et

restèrent en contact plusieurs années, jusqu'à ce fameux mois de mai 1955 où Grace connut le prince Rainier de Monaco.

Pendant l'été 1951, Grace Kelly reprend le chemin de la scène : elle est alors engagée par le théâtre d'Elitch Gardens, à Denver, dans le Colorado; et, au sein de cette compagnie, elle jouera plusieurs pièces avec un certain succès, notamment *The Cocktail Party* et *Ring Round the Moon.*

Enfin, le 10 août 1951, alors qu'elle se trouve toujours à Denver, Grace Kelly est contactée par le producteur de cinéma Stanley Kramer. Celui-ci envoie un télégramme disant : « Pouvez-vous vous présenter le 28 août ? Donnerez réplique à Gary Cooper. Titre provisoire : *High Noon.* »

En fait, le titre de ce western que réalisera Fred Zinnemann restera *High Noon* (*Le train sifflera trois fois*, dans sa version française). Le film marquera le grand départ de Grace Kelly à Hollywood.

UNE TRÈS BELLE JEUNE FEMME, VUE PAR JEAN-PIERRE AUMONT

« Lorsqu'on m'offrit de jouer le rôle d'Audubon, célèbre ornithologue, dans *The Way of an Eagle,* je demandai qui, en dehors des vautours et de quelques rouges-gorges, serait ma partenaire. On me donna le nom d'une jeune actrice qui venait de tourner un film mais n'était pas encore connue : Grace Kelly.

« Elle arriva, très belle, très blonde, assez grande, avec des yeux bleus qui pouvaient aisément devenir d'acier. À son allure, à son accent, je pensai qu'elle venait de Boston. Erreur : elle était née à Philadelphie... Pendant plusieurs jours, dans ce pays où tout le monde vous appelle Bill, Mac ou Tom à première vue, elle continua à me donner du "monsieur Aumont"... Nous devînmes les meilleurs amis du monde. »

(Extrait de l'autobiographie de J.-P. Aumont, *Le Soleil et les Ombres,* éd. Robert Laffont, 1976.)

Par l'intermédiaire de son impresario Edith van Cleve, c'est à Jay Kanter, de l'agence artistique MCA, que Grace Kelly doit son premier grand rôle à Hollywood. Kanter sait que le producteur Stanley Kramer et le réalisateur Fred Zinnemann cherchent une jeune femme pour le rôle de l'épouse de Gary Cooper dans *High Noon.*

L'Hollywoodienne

Jay Kanter fournit une photo de Grace à Zinnemann, et ce dernier demande à rencontrer la jeune actrice. Grace Kelly prend l'avion de Denver à Los Angeles, et le metteur en scène est assez vite séduit par le look de la comédienne, qui tranche avec le style habituel des starlettes et vamps en tout genre : « C'était la première actrice que je voyais arriver en gants blancs à une entrevue ! » dira Zinnemann. Le réalisateur pense aussi que le côté encore un peu raide de la jeune comédienne va parfaitement s'accorder au rôle : une quakeresse puritaine, antiviolente et très réservée.

De même, le partenaire de Grace Kelly, Gary Cooper, apprécie sa distinction et sa bonne éducation : « Je la trouvai jolie et différente, et il me parut possible qu'elle fît parler d'elle dans l'avenir. Elle semblait avoir reçu une solide éducation et venir d'une famille qui l'avait bien élevée. Il est certain qu'elle nous changeait heureusement des filles faciles que nous avions tant vues. » (Cité par Sarah Bradford dans *Grace.*)

Deuxième film, premier grand rôle : *Le train sifflera trois fois* (1952).

À l'écran, le contraste entre un homme de cinquante ans, buriné et déjà assez ridé, et cette jeune femme au joli visage fin, à la peau lisse et au teint frais va jouer à plein : lorsque Grace Kelly se repose sur l'épaule protectrice de Gary Cooper, on croit à fond à ce tableau quasi paternel ! Grace Kelly joue donc le rôle d'Amy Kane (Emma dans la version française), petite épouse proprette du shérif d'Hadleyville, incarné par Gary Cooper : au départ, avec son petit chapeau enrubanné et ses tenues délicates, elle paraît très loin de ce monde d'hommes violents (toute la ville attend avec terreur le retour de bandits autrefois arrêtés par le shérif); et puis, peu à peu, lorsqu'elle comprend par quel drame passe son mari, elle manifeste une nature plus farouche.

Ce premier grand rôle de Grace Kelly révèle déjà la personnalité de l'actrice et de la femme : sous la façade BCBG, on devine quelque chose de plus dur, un côté presque « sauvageonne ». Comme une qualité féline sous le regard de biche...

Dans les bras de Gary Cooper.

Cependant, en se voyant à l'écran, la comédienne n'est pas encore très satisfaite de sa propre prestation. Se comparant à la star Gary Cooper, elle se livre à une autocritique un peu sévère : « Lorsque je regarde le visage de Gary Cooper, j'y lis tout ce qu'il pense. Mais quand je regarde le mien, je n'y vois rien du tout. Mes pensées ne transparaissent pas. Je commence à me demander si j'ai vraiment l'étoffe d'une star... » (Interview parue dans la revue *Motion Picture.*)

Un instant de détente avec le réalisateur, Fred Zinnemann.

Ces doutes, bien naturels dans le cas d'une jeune actrice consciencieuse, décident Grace Kelly à retourner à New York pour y parfaire son éducation dramatique.

Au début de l'année 1952, elle s'inscrit donc au cours de Sanford Meisner, à la Neighbourhood Playhouse : Meisner est un des spécialistes de la fameuse méthode pratiquée à l'Actor's Studio – cette technique d'art dramatique qui tente de faire exprimer les sensations profondes et les pulsions internes du personnage, et qui a façonné de jeunes acteurs comme Paul Newman, Marlon Brando et James Dean.

La trouvant « encore insuffisamment épanouie en tant qu'actrice, mais sensible et désireuse d'apprendre », le professeur Sanford Meisner pousse Grace Kelly à approfondir technique et métier. Pendant cette période de transition, la jeune comédienne n'obtiendra que deux rôles : l'un en février 1952, dans une dramatique TV adaptée de Scott Fitzgerald (*The Rich Boy*); l'autre en avril-mai 1952, au théâtre, à Boston et New York, dans une comédie de boulevard, *To Be Continued.*

Cependant, sans qu'elle en soit encore tout à fait consciente, le temps et sa prestation dans *Le train sifflera trois fois* travaillent pour elle : l'ayant remarquée, la Twentieth Century-Fox la convoque par l'intermédiaire de son bureau new-yorkais; on demande à Grace Kelly de venir faire un bout d'essai pour *Taxi*, que doit réaliser Gregory Ratoff. Ce film raconte l'histoire d'une jeune Irlandaise installée à New York et tombant amoureuse d'un modeste chauffeur de taxi. Curieusement, Grace Kelly ne prend pas la chose au sérieux, se rend à la convocation vêtue très

simplement et à peine maquillée, à tel point que le metteur en scène de *Taxi* ne la trouve pas bien jolie ! Gregory Ratoff est pourtant sur le point de la choisir pour le rôle, mais le studio impose finalement une autre comédienne, Constance Smith.

Katy Jurado, Grace Kelly, Gary Cooper et Lloyd Bridges (*Le train sifflera trois fois*).

Grace Kelly est relativement déçue car le film devait se tourner à New York, et lui aurait parfaitement convenu dans la mesure où elle n'était pas encore habituée à Hollywood. Mais l'incident de ce bout d'essai raté va se transformer en élément plus que

positif : deux grands metteurs en scène, John Ford et Alfred Hitchcock, vont visionner ce *screen test* et apprécier les qualités naissantes de la jeune comédienne. Ford sera le premier à faire appel à elle pour *Mogambo*, déclarant autour de lui : « Cette fille n'est pas seulement jolie, elle sait jouer la comédie ! »

Gable et les lions

L'aventure *Mogambo* va donc démarrer le 3 septembre 1952 : la Metro Goldwyn Mayer fait venir Grace Kelly à Los Angeles pour les essais définitifs. John Ford et le producteur Sam Zimbalist sont satisfaits, et Grace signe son contrat pour jouer le rôle de Linda Nordley, jeune Anglaise qui suit son mari, anthropologue, jusque dans la brousse africaine – l'époux, fort sérieux, devant étudier de près les mœurs de certains gorilles.

Arrivée dans ce coin perdu d'Afrique-Équatoriale, Linda est confrontée non seulement à la nature et aux animaux sauvages, mais aussi à deux personnages très différents d'elle : Victor Maxwell (Clark Gable), aventurier et chasseur de fauves patenté, et Eloise Kelly (Ava Gardner), jeune femme sensuelle et désabusée, déçue par les hommes et devant en principe rejoindre un maharadjah (lequel est d'ailleurs retourné en Inde entre-temps).

Clark Gable dans *Mogambo* (1953).

Face à Eloise-Ava Gardner, qui incarne la beauté brune, plutôt latine, n'ayant pas peur d'avouer : « Je me suis instruite dans les bars », Linda-Grace Kelly joue un admirable double jeu : celui de la bourgeoise, plutôt « coincée » au départ, et qui va se révéler peu à peu très attirée par les plaisirs interdits, aussi bien ceux de la vie naturelle que l'attrait un peu brut du séducteur Victor-Clark Gable. Physiquement, Grace Kelly réussit cette transformation en un seul plan : très digne à son arrivée, semblant sortir d'une photo de mode avec son tailleur beige impeccable et son casque colonial qui cache un chignon très strict, elle se métamorphose en vraie femme lorsqu'elle défait ses cheveux sous la tente.

GABLE ET KELLY

« Le sentiment que Grace éprouva pour Clark Gable fut plus une admiration d'adolescente qu'une émotion de femme. C'était passionnant pour elle de vivre à côté d'un des plus grands noms du cinéma. À sa place, n'importe quelle jeune fille en aurait été bouleversée ! »

(La mère de Grace Kelly, dans un article de *Cinémonde,* signé Georges Beaume, en 1955.)

MOGAMBO
ET LA PRESSE

« Grace Kelly a pour don particulier de suggérer qu'elle est bien née sans être arrogante, cultivée sans être ennuyeuse, douée d'un grand potentiel affectif sans le montrer avec ostentation. Cette qualité, difficile à trouver chez les beautés hollywoodiennes si bien emballées dans du papier brillant, sous-entend qu'elle pourrait jouer certaines des grandes séductrices de la littérature moderne – telle la Daisy de *Gatsby le Magnifique*... Elle devrait faire une belle carrière. » (*Newsweek*, cité par Sarah Bradford dans *Grace*.)

« Grace Kelly, magistralement dirigée, prouve qu'elle pourra voler très loin, de ses propres ailes... » (Louis Chauvet, *Le Figaro* du 28 septembre 1954.)

Intéressant mélange de candeur et de fougue occasionnellement libérée (elle se réfugie dans les bras puissants de Gable dès le premier orage), le personnage de Linda et la façon très fine dont Grace Kelly l'interprète montrent que la jeune actrice a déjà fait énormément de progrès depuis *Le train sifflera trois fois.* La star est incontestablement en bonne voie; et la meilleure preuve en est qu'elle tient parfaitement le choc face à Ava Gardner, comédienne plus expérimentée et femme d'une séduction plus immédiatement évidente.

D'ailleurs, le physique même de Grace Kelly correspond à ce double jeu : à première vue, on remarque surtout le visage finement ciselé de la comédienne; puis, à y regarder de plus près, on note une bouche beaucoup plus charnue qu'on n'avait imaginé et un regard félin, brûlant sous la froideur du bleu. On voit en fait ce qui va bientôt séduire Alfred Hitchcock – lui qui aimait mettre en scène des femmes fatales apparemment glaciales !

Les trois vedettes de *Mogambo* : Gardner, Gable et Kelly.

Sur le plan du tournage, *Mogambo* représente une réelle aventure, loin du confort new-yorkais et hollywoodien. Les scènes d'extérieurs sont filmées au Kenya et en Ouganda, les acteurs et l'équipe logent sous des tentes en pleine brousse. Grace Kelly, très stimulée par les paysages grandioses, se montre particulièrement audacieuse, partant seule à l'aventure lorsqu'elle ne tourne pas : un jour, Clark Gable la trouve sur une immense plage, face à l'océan (non loin de Nairobi); Grace Kelly est très émue car elle vient de voir un lion passer sur le rivage alors qu'elle lisait précisément un passage des *Neiges du Kilimandjaro* où Ernest Hemingway décrit un léopard dans la neige ! Le coriace et vieux routier Gable (il a alors cinquante et un ans) est lui-même très impressionné par la témérité de cette jeune fille qui n'a pas encore vingt-trois ans.

Naturellement, les rumeurs d'idylle entre le « vieux lion » Gable et la « jeune gazelle » Kelly vont bon train dans les journaux avides de potins; mais, en fait, Clark Gable est encore sous le coup du chagrin que lui a

causé la mort accidentelle de sa femme, Carole Lombard. Quant au réalisateur John Ford, qui eut des problèmes de santé sur le tournage, il fit, en vérité, peu de déclarations sur Grace Kelly – il n'était pas particulièrement réputé pour son amabilité vis-à-vis des comédiennes. Mais Grace Kelly, elle, déclara que travailler avec Ford fut « toute une éducation ». Pour sa prestation dans *Mogambo*, elle obtint d'ailleurs sa première nomination aux Oscars : celui du meilleur second rôle féminin pour 1953 (mais c'est finalement Donna Reed qui obtint la récompense pour *Tant qu'il y aura des hommes*).

Gable aux prises avec la sensuelle Eloise, interprétée par Ava Gardner (*Mogambo*).

En tout cas, après un passage par Londres pour terminer en studio les scènes d'intérieurs de *Mogambo*, Grace Kelly s'aperçoit, de retour aux États-Unis (en avril 1953), que la presse parle énormément d'elle. Son ami Bill Allyn, qui l'accompagne à un bal au grand hôtel new-yorkais, le *Waldorf Astoria*, déclare alors : « Il est vrai qu'on fait grand bruit autour de cette très belle actrice de cinéma qui ne manquera pas d'atteindre bientôt une immense célébrité. »

Cette fois, Grace Kelly, sacrée à l'automne meilleure actrice 1953 par le magazine *Look*, est très près de ce que les Américains appellent le *stardom* – autrement dit, le vedettariat, le statut de star.

SUSPENSE
LADY

Dès son arrivée à New York, vers 1947-1948, Grace Kelly avait dit un jour à l'un de ses amis : « Je deviendrai la plus grande star qu'Hollywood ait jamais connue ! » Propos de fin d'adolescence fortement teintés de rêves et de fantasmes, certes; mais là où d'autres n'auraient ainsi affiché qu'une sotte prétention, Grace Kelly, elle, entendait surtout par là montrer sa détermination, son jusqu'au-boutisme dans la voie qu'elle s'était choisie : le métier de comédienne.

Vers le milieu de l'année 1953, après Le train sifflera trois fois, *après* Mogambo, *sa prophétie et son rêve se réalisaient : Grace*

Kelly devenait l'interprète d'un grand maître du cinéma, Alfred Hitchcock, dans Le crime était presque parfait. *Cette première collaboration devait déboucher, les deux années suivantes, sur deux films d'Hitchcock beaucoup plus achevés et qui offrirent au public une image complètement épanouie de la comédienne :* Fenêtre sur cour *et* La Main au collet. *Ce ne sont pas, il est vrai, ces suspenses sophistiqués qui lui valurent l'Oscar, mais* Une fille de la province, *mélodrame réaliste, qui la montrait sous un jour nouveau. Cependant, sur le plan international et purement cinématographique, c'est bien le grand Hitchcock qui contribua le plus à la renommée de Grace Kelly. Grâce à l'auteur de* Fenêtre sur cour, *en 1954, l'actrice était prête pour une grande carrière. Mais, en 1956, la star allait s'attaquer à un très beau rôle qui ne devrait rien à Hollywood ! Ses deux derniers films,* Haute Société *et* Le Cygne, *anticipent cette trajectoire pourtant encore insoupçonnée : l'actrice y incarne respectivement une jeune fille de bonne famille et la princesse d'une principauté imaginaire.*

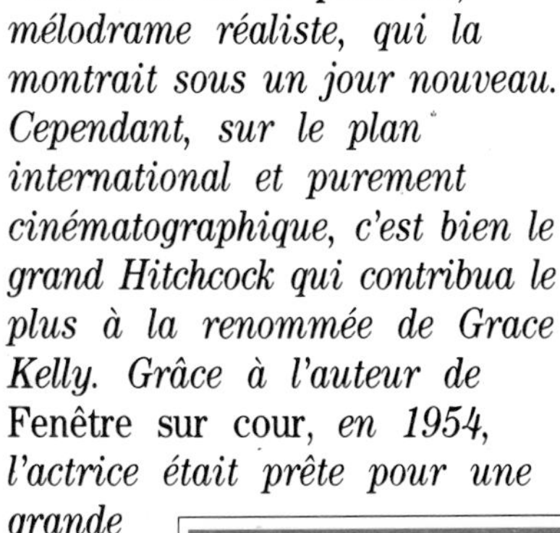

Avec James Stewart, dans *Fenêtre sur cour* d'Alfred Hitchcock (1954).

En toute objectivité, *Le crime était presque parfait* fut pour Grace Kelly le dernier tremplin vers la gloire et le statut définitif de star, à la fois parce que le film était une

œuvre de commande où Hitchcock ne déploya pas à fond son immense talent (il dira d'ailleurs : « J'ai fait mon boulot le mieux possible, je me suis servi de moyens cinématographiques pour raconter cette histoire tirée d'une pièce de théâtre »), et que l'actrice y incarne un personnage ayant un peu moins d'aura que dans les deux Hitchcock qui suivront, *Fenêtre sur cour* et *La Main au collet.*

La femme du monde

C'est en tout cas pour *Le crime était presque parfait* que les grandes compagnies hollywoodiennes commencent à s'arracher Grace Kelly à coups de dollars : selon une pratique alors courante dans les grands studios de Los Angeles, la Warner Bros achète la jeune comédienne à la Metro Goldwyn Mayer, pour le temps d'un film et pour 20 000 dollars. Quant à Hitchcock, il a vu Grace Kelly dans *Mogambo* et dans le bout d'essai qu'elle avait tourné pour *Taxi.* Le grand cinéaste est assez impressionné et déclare, dans une interview au magazine *Look* : « Avec une actrice comme Grace, un metteur en scène est avantagé. Il peut se permettre de tourner des scènes d'amour qui seront belles et excitantes, mais jamais vulgaires. »

Entrée en scène de l'actrice sophistiquée...

En mai 1953, Hitchcock offre donc à Grace Kelly le rôle de Margot Wendice, et le tournage du *Crime était presque parfait* s'étalera sur huit semaines, du 30 juillet au 25 septembre de cette année-là.

Avec Ray Milland, dans *Le crime était presque parfait* (1954).

Margot Wendice, femme du monde très BCBG, lance à son mari (interprété par Ray Milland) des « Tony chéri ! » d'un petit air très distingué, mais a néanmoins un amant en la personne d'un écrivain de romans policiers (incarné par Robert Cummings). Dans ce rôle, Grace Kelly offre une apparence absolument impeccable pendant la première moitié de l'histoire – épouse très classe, aussi élégante en jupe et pull roses que dans la robe de dentelle rouge qu'elle porte pour sortir le soir. Mais ce qui est intéressant, c'est de voir l'actrice se métamorphoser complètement par la suite : alors que son mari a tenté de la faire assassiner, qu'elle a dû elle-même tuer le meurtrier avec une paire de ciseaux et qu'elle a été finalement emprisonnée, on voit la comédienne arriver sans aucun maquillage et vêtue d'une simple petite robe grise dans la scène de la reconstitution du crime. Ainsi dépouillée, Grace Kelly préfigure le personnage austère qu'elle incarnera un an plus tard dans *Une fille de la province* et montre aussi l'étendue de son talent : dans *Le crime était presque parfait*, la comédienne est capable de passer de la bourgeoise légère à un personnage de victime anéantie par les événements qui se sont acharnés sur elle.

À cet égard, Grace Kelly fut très fière d'avoir réussi à imposer sa vision des choses au maquilleur du film, qui insistait pour lui

L'OPINION DE RAY MILLAND

« J'ai dansé avec Mistinguett. J'ai été présenté à des reines et des rois. Mais le plus grand souvenir de ma carrière reste le tournage du film d'Hitchcock *Le crime était presque parfait...* Aujourd'hui encore, je passe des soirées entières à regarder une collection de photos prises pendant le tournage, où l'on me voit avec Grace Kelly... Hitchcock disait : "Grace n'a pas besoin de maquillage. Elle éblouit la pellicule." »

(Propos recueillis en décembre 1982, parus dans *Télé 7 Jours*.)

mettre du rouge aux joues : « Mais enfin, l'héroïne sort de prison. Elle ne peut pas avoir bonne mine ! Je ne mettrai pas de rouge sur mes joues », rétorqua l'actrice. De même, pour la scène du coup de fil juste avant le crime, Grace Kelly fit comprendre à Hitchcock qu'une femme se levant dans la nuit pour répondre au téléphone ne prendrait pas la peine d'enfiler une robe de chambre de velours et qu'elle se rendrait dans son salon telle quelle, en chemise de nuit. Au résultat, Hitchcock fut très satisfait de ce changement.

La critique salua très favorablement le jeu de la comédienne : « Grace Kelly, la "victime", possède un talent aussi rare que sa beauté », pouvait-on lire notamment dans le quotidien *La Croix* du 11 février 1955. Tandis qu'à Los Angeles, le *Daily News* insistait davantage sur les atouts physiques de l'actrice : « Cette nouvelle venue, blonde et sexy, a un attrait bien terrestre qui va faire rêver les messieurs. »

Hitchcock fou d'elle !

Grace Kelly n'avait pas encore vingt-quatre ans et séduisit en particulier son partenaire, Ray Milland, avec lequel les journaux à scandale la fiancèrent d'office !

Septembre 1953. Dès la fin du tournage du *Crime était presque parfait*, Grace Kelly s'empresse de repartir pour New York : elle ne se sent pas très à l'aise à Los Angeles et reste attachée à la côte Est. La comédienne en a souvent parlé à la presse, comme dans cette interview au *Saturday Evening Post* : « À Hollywood, j'ai rencontré beaucoup de gens, mais je me suis fait peu d'amis... Dans l'Est, je me sens chez moi. C'est là que se trouvent ma famille et mes amis. »

Cependant, son escapade à New York va être assez brève : Hitchcock, décidément séduit, la fait appeler et souhaiterait la voir revenir à Hollywood dès le mois de novembre pour tenir le principal rôle féminin de *Fenêtre sur cour*, aux côtés de James Stewart. Grace Kelly a à peine le temps d'hésiter : elle pensait décrocher un rôle dans *Sur les quais*, d'Elia Kazan; mais Eva Marie Saint est finalement choisie pour donner la réplique à Marlon Brando, et Grace regagne donc la côte Ouest assez rapidement.

Le grand Hitchcock tombe amoureux d'elle, professionnellement parlant !

Le grand Alfred Hitchcock ne peut déjà plus se passer d'elle ! Il se répand en compliments sur celle qui est en passe de devenir son actrice favorite : « Grace Kelly est un phénomène rare dans le cinéma : une lady. Une véritable actrice. Elle fait partie de ces personnalités qui peuvent se glisser dans n'importe quel rôle important. Elle a un regard très photogénique et plein de fraîcheur, mais qui n'est absolument pas enfantin ou juvénile. Ingrid Bergman a cette même qualité : l'intelligence. »

Grace Kelly se présente donc aux studios de la Paramount pour incarner Lisa Carol Fremont, jeune femme de la bonne société, qui vient tenir compagnie à son ami Lionel Jeffries (James Stewart), reporter photographe immobilisé dans son petit appartement new-yorkais par une jambe cassée. En ce qui concerne Grace Kelly, ce qui frappe avant tout dans *Fenêtre sur cour*, c'est son extraordinaire sophistication. Avec l'aide de la costumière Edith Head, Hitchcock transforme définitivement l'actrice en une star étincelante, qui change de tenue à chaque séquence. À ce premier degré, purement physique, Grace Kelly ressemble à l'un de ces mannequins qui illuminent les pages des magazines de luxe : elle fait un véritable festival de toilettes des années 50, depuis les robes et les jupes de mousseline jusqu'aux déshabillés soyeux. L'actrice est littéralement aérienne et s'amuse visiblement beaucoup à jouer cette mondaine qui ne parle que de cocktails brillants à Park Avenue et de dîners chez *Maxim's* !

Et puis, faisant preuve d'un talent de plus en plus fin, la comédienne casse ce côté gravure de mode dans la seconde partie du film, lorsqu'elle se met à enquêter sur le meurtre qui se serait produit dans l'immeuble d'en face. Grace Kelly prend alors l'air mutin et facétieux de la jeune fille qui fait des frasques : de nouveau, comme dans ses

GRACE VUE PAR JAMES STEWART

« Elle n'était pas aussi hautaine qu'on a bien voulu le dire. Elle aimait beaucoup plaisanter. Elle avait un humour très délicat, le regard tourné vers le côté pétillant des choses... Et puis elle était attentive aux autres, généreuse, gaie, simple. Vraiment une femme fantastique. »

(Propos recueillis par James Spada, *Grace. Les vies secrètes d'une princesse*, éd. J.-C. Lattès, 1988.)

premiers films (notamment *Mogambo*), elle révèle sa double personnalité : la femme très vivante, sous des dehors hautains et froids. Lisa-Grace s'amuse à embrasser goulûment son ami photographe, profitant de son impuissance, et dévoilant aussi des appétits bien charnels sous des airs lointains et sophistiqués. C'est ce que Hitchcock appellera « l'élégance sensuelle », tandis qu'un critique parlera de « magnétisme sensuel assumé avec aisance ».

Avec James Stewart, dans *Fenêtre sur cour* (1954).

Avec *Fenêtre sur cour*, Grace Kelly s'installe donc très solidement au firmament des stars hollywoodiennes. Le film sort aux États-Unis en août 1954 et, juste avant le début de l'été, le grand magazine *Life* consacre à l'actrice un article intitulé « La nouvelle bombe d'Hollywood ».

Comme toujours, Grace Kelly fascine son partenaire de cinéma – cette fois, James Stewart. Celui-ci est très sensible au charme de la jeune femme; mais, du fait qu'il s'est marié au moment du tournage de *Fenêtre sur cour*, la presse à sensation a du mal à inventer la traditionnelle histoire d'amour entre les deux partenaires !

Pour parachever le tableau hitchcockien, nous nous permettrons ici une petite liberté chronologique, en sautant par-dessus le film qui a valu l'Oscar de la meilleure actrice à Grace Kelly : *Une fille de la province*, tourné au début de l'année 1954. Nous y reviendrons plus longuement dans le chapitre suivant, d'autant plus que ce film de George Seaton occupe une place tout à fait à part dans la carrière de la comédienne : elle y compose le personnage le plus éloigné d'elle, s'enlaidissant et jouant dans un registre dramatique qu'elle n'avait pas encore exploré.

La politique du charme

Avant d'en venir à *La Main au collet*, son troisième et dernier film avec Hitchcock, nous passerons très rapidement sur un autre film que Grace Kelly a tourné auparavant : *Les Ponts de Toko-Ri*, de Mark Robson, avec William Holden, Mickey Rooney et Fredric March. L'actrice n'y tient qu'un petit rôle, celui de l'épouse d'un pilote (W. Holden)

pendant la guerre de Corée, pour quelques scènes filmées en studio à Hollywood, alors que le reste du film est tourné en Extrême-Orient; et l'actrice n'a droit (légitimement) qu'à une ou deux lignes de commentaire lors de la sortie du film, en janvier 1955 : « Miss Kelly fait ce que lui permet son rôle avec charme et sensibilité », écrit l'hebdomadaire américain *Time*, tandis que dans la presse française, on peut lire notamment : « Grace Kelly est délicieuse de naturel dans le rôle épisodique de la femme de l'officier Brubaker. » (*Le Parisien libéré.*)

Les Ponts de Toko-Ri (1954), avec William Holden.

En revanche, William Holden est, comme tous les précédents partenaires de Grace Kelly, très impressionné par la comédienne et la femme. Il le dit très clairement à la presse, dans le cadre d'une analyse assez fine du sort des vedettes féminines à Hollywood : « La population évolue au gré des époques, selon l'humeur du temps. À la

fin des années 20 et au début des années 30, de grandes stars comme Norma Shearer et Joan Crawford répondaient au besoin d'élégance et de sophistication du public. Puis sont venus la guerre, le chaos politique, les bouleversements économiques...
Une atmosphère dans laquelle le cinéma a beaucoup plus mis en valeur le physique et la sensualité... Aujourd'hui (les années 50), je crois que les gens ont envie de quelque chose d'autre. Je ne voudrais pas faire reposer un tel fardeau sur les épaules de Grace Kelly, mais je pense qu'elle est devenue un symbole de dignité, qu'elle représente ce qu'il y a de bon et de juste en chacun de nous... Et je crois qu'il faut que le monde revienne à ces valeurs, que c'est là un besoin profond. Des femmes comme Grace Kelly ou Audrey Hepburn symbolisent ce besoin... » (Cité par Bertrand Meyer dans *Grace.*)

Plus franchement sexy, Brigitte Bardot et Marilyn Monroe séduisaient moins Hitchcock, à la même époque...

Comme en écho, à peu près à la même époque, le magazine français *Le Film complet* écrit :
« Grace Kelly n'a jamais misé sur aucun de ces attributs féminins dont certaines de ses concurrentes ont joué avec une prodigalité excessive. Mieux : elle semble avoir pris le contre-pied de toutes les méthodes expérimentées par les spécialistes du sex-appeal. Sobre et discrète à l'écran comme à la ville, Grace Kelly a délibérément opté pour la politique du charme... Le caractère insolite de Grace troublait les hommes avec qui elle travaillait et que des beautés éclatantes ou tapageuses laissaient indifférents... »

En la choisissant une troisième fois comme vedette féminine, Alfred Hitchcock ne dira lui-même rien d'autre, faisant encore une fois un très beau compliment à sa comédienne : « Dans *La Main au collet*, j'ai photographié Grace Kelly impassible, froide, le plus souvent de profil, avec un air classique, très belle et très glaciale. Mais quand elle circule dans les couloirs de l'hôtel et que Cary Grant la raccompagne jusqu'à la porte de sa chambre, que fait-elle ? Elle plonge directement ses lèvres sur celles de l'homme... Je crois que, sexuellement parlant, les Anglaises, les Allemandes du Nord et les Scandinaves sont plus intéressantes que les Latines. Le sexe ne doit pas s'afficher comme c'est le cas chez Marilyn Monroe ou Brigitte Bardot... » (Dans *Hitchcock/Truffaut*, éd. Ramsay, 1983.)

Magie de la Côte d'Azur

Effectivement, Hitchcock réussit encore à présenter Grace Kelly sous un jour éblouissant : dans le rôle de la riche héritière Frances Stevens, la comédienne incarne de nouveau à la perfection la jeune femme du monde très digne et très altière. Une fois de plus, Grace Kelly joue avec des tenues somptueuses (qu'elle a soigneusement étudiées avec la costumière Edith Head) : lorsqu'elle retrouve Cary Grant dans le hall de l'hôtel *Carlton*, simplement pour aller se baigner sur la plage d'en face, elle porte un élégant chapeau jaune, un corsage noir et une petite jupe bien coupée cachant savamment son maillot; et, après mille et une autres

La main au collet, avec Cary Grant : tourné à Cannes en 1954.

tenues vestimentaires dans le cours du film, elle arrive, royale, lors de la séquence du bal costumé, dans une robe à crinoline en lamé or et une perruque style Louis XV.

Grace porte une robe... spectaculaire dans *La Main au collet* !

Comme toujours, au-delà de ce physique impeccable qui la rapproche encore une fois des mannequins qui posent pour *Vogue* ou *Mc Call's*, la comédienne joue un jeu très subtil, entre la pimbêche bien élevée, la parfaite allumeuse et la femme très directe, qui fait des avances à l'homme et prend carrément

GRACE VUE PAR CARY GRANT

« Elle n'appartenait pas au genre de femmes qui passent leur temps à piquer des colères. Elle était toujours patiente sur le plateau, même avec les coiffeurs et les maquilleurs. Si l'une de ses robes n'allait pas, nous n'avions nullement droit à une crise d'hystérie. Elle le signalait gentiment... »

(Extrait d'un article de *Ladies' Home Journal*, mars 1956.)

« Grace Kelly imposait le respect, un peu comme si elle était irréelle. Je me souviens d'un assistant d'Hitchcock qui n'osait pas lui demander un autographe. Il avait le carnet, le stylo, mais au moment de s'approcher d'elle, Grace l'intimidait et il n'osait pas ! »

(Cité par *Télé 7 Jours*, décembre 1982.)

l'initiative : c'est elle qui embrasse Cary Grant sur la bouche au moment où il s'y attend le moins ! Une attitude très audacieuse au regard de la morale assez stricte de l'Hollywood des années 50. Le personnage de Frances Stevens est résumé par cette réplique, qu'elle lance à Cary Grant lorsqu'il lui demande si elle ne porte jamais de bijoux : « Non, leur contact glacial sur ma peau me déplaît... Je préfère dépenser mon argent pour des satisfactions plus tangibles ! »

Cary Grant restera l'un de ses amis, bien après *La Main au collet*.

La Main au collet sort à la fin de l'été 1955. Pour Grace Kelly, le tournage sur la Côte d'Azur a été véritablement paradisiaque : avec Hitchcock, Cary Grant et son épouse Betsy Drake, l'actrice passait ses soirées dans les meilleurs restaurants de la Côte et, occasionnellement, dans le cadre très chic du *Palm Beach* de Cannes.

Avec son partenaire d'*Une fille de la province* (William Holden), elle reçoit l'Oscar de la meilleure actrice.

Grace Kelly ne sait pas encore que son destin va se forger peu de temps après dans cette même région. En tout cas, la star brille de mille feux : « Grace Kelly, outre sa jeunesse, son élégance et sa beauté, n'est nullement dépourvue de talent », écrit François Vinneuil dans *Dimanche-Matin.*

Avec *La Main au collet,* le chapitre hitchcockien se referme. Neuf ans plus tard, en 1963, le maître du suspense proposera à Grace Kelly le rôle de Marnie. Mais, déjà princesse, Grace ne retournera pas à Hollywood.

La fille à l'Oscar

Comme nous l'avons déjà indiqué, nous allons légèrement remonter le temps pour nous retransporter au début de l'année 1954 pour évoquer l'épisode très important d'*Une fille de la province.* Ce film de George Seaton (le septième de Grace Kelly) occupe une place tout à fait à part dans la mesure où la comédienne y pousse très loin son art et en sera très justement récompensée par la profession. À vingt-cinq ans, Grace Kelly atteint déjà les sommets de son métier...

En janvier 1954, donc, lorsqu'elle apprend que les producteurs d'*Une fille de la province*, William Perlberg et George Seaton, songent à elle pour le premier rôle féminin,

Grace Kelly va puiser en elle toute son énergie et sa combativité pour décrocher ce rôle et s'en montrer digne. La Metro Goldwyn Mayer, avec laquelle Grace est toujours sous contrat, manifestant des réticences pour « prêter » la comédienne à la Paramount qui finance *Une fille de la province*, l'actrice lance un ultimatum au dirigeant de la MGM, Dore Schary : « Soit vous me laissez interpréter le rôle de Georgie Elgin dans *Une fille de la province*, soit j'abandonne le cinéma et je retourne définitivement à New York pour y faire du théâtre ! »

La MGM qui tient tout de même à sa vedette, joue le jeu et cède Grace Kelly à la Paramount, pour la somme importante de 50 000 dollars et à condition que les producteurs d'*Une fille de la province* ne retiennent pas la comédienne au-delà du 4 avril 1954.

William Holden, Grace Kelly et Bing Crosby dans *Une fille de la province* (1954).

Grace Kelly a gagné son combat. Si, cette fois, elle s'est battue aussi fort pour obtenir un rôle, c'est qu'elle est persuadée que ce nouveau film va constituer un tournant décisif dans sa carrière : *Une fille de la province* est, à l'origine, une très belle pièce de Clifford Odets, qui a déjà remporté un grand succès à Broadway et a valu un triomphe à la première interprète du rôle sur scène, Uta Hagen. Mais, surtout, le personnage de Georgie Elgin que va incarner Grace Kelly se situe aux antipodes de l'image sophistiquée de la comédienne dans *Mogambo*, *Le crime était presque parfait* ou *Fenêtre sur cour*.

Georgie Elgin est une femme sacrifiée, résignée, habituée

au malheur : elle est l'épouse d'un comédien et chanteur autrefois célèbre mais devenu alcoolique à la suite de circonstances très particulières (Frank Elgin, admirablement incarné par Bing Crosby).

Avec William Holden dans *Une fille de la province* (1954).

Dès les premières scènes, Grace Kelly apparaît comme une femme durcie, amère, aigrie par la vie austère que lui fait mener son mari. Et, pour la toute première fois, le spectateur découvre une Grace Kelly à l'air sévère et triste : affublée de lunettes, portant un cardigan tout simple et une jupe très stricte, elle a l'air d'une vieille institutrice !

Ainsi métamorphosée, la comédienne paraît bien trente-cinq ou quarante ans – soit quinze ans de plus que son âge réel. Dans le livre qu'elle a consacré à Grace Kelly, Sarah Bradford écrit très justement : « À vingt-quatre ans, après avoir mené, dans l'ensemble, une vie protégée, il lui a fallu faire un effort d'imagination considérable et mettre en jeu tous ses moyens pour se transformer en épouse loyale et désillusionnée. »

La critique est tout aussi élogieuse, aux États-Unis comme en France. Le magazine américain *Look* déclare : « Bing Crosby et Miss Kelly jouent ce drame humain avec une compassion et une finesse psychologique dignes des meilleurs tragédiens. » Tandis qu'en France, le critique Jean Rochereau écrit : « Grace Kelly réussit une étonnante composition de femme vieillie et enlaidie. Étonnante et... méritoire ! Peu de jolies femmes – et nous savons que la beauté de

L'ÉLOGE DE GEORGE SEATON, RÉALISATEUR D'*UNE FILLE DE LA PROVINCE*

« La vivacité de Grace Kelly ne la pousse pas à faire étalage de sa personnalité dans les cinq minutes qui suivent son apparition. Avec d'autres stars, cinq secondes après leur arrivée sur l'écran, leur personnalité n'a plus aucun secret pour vous. Dans le cas de Grace, plus son rôle se développe, plus l'on découvre des facettes différentes d'elle-même. »

(Cité par Sarah Bradford dans *Grace*.)

Grace Kelly est éblouissante ! – auraient consenti un tel sacrifice. »

Sorti aux États-Unis en décembre 1954, *Une fille de la province* vaut à Grace Kelly d'être inscrite sur la liste prestigieuse et convoitée des nominations aux Oscars. La comédienne est ravie mais a d'autant plus le trac que l'une de ses concurrentes n'est autre que Judy Garland. Et Dieu sait que celle-ci a fait également une composition très émouvante dans *Une étoile est née* de George Cukor !

Les pronostics donnent Judy Garland gagnante. À tel point que la chaîne de télévision NBC a, paraît-il, tout prévu : elle a installé ses caméras à l'hôpital où Judy Garland est alors sur le point d'accoucher; tout est prêt pour filmer l'heureux événement de l'Oscar (avant celui de la naissance !), une autre célébrité devant apporter la statuette dorée jusqu'au lit de Judy Garland : Lauren Bacall.

Mise en scène complètement inutile puisque, le 30 mars 1955, William Holden, autre partenaire de Grace Kelly dans *Une fille de la province*, ouvre l'enveloppe fatidique et proclame Grace Kelly meilleure actrice de l'année 1954.

Grace Kelly, naturellement très émue, plus belle que jamais (elle porte une longue robe de satin et des gants blancs), prononce, en bégayant d'émotion, les mots traditionnels et toujours banals : « Je n'oublierai jamais ce moment... Tout ce que je peux dire, c'est merci, merci à tous et à toutes ! » (Cité par John McCallum dans *That Kelly Family*.)

Un moment après, dans la coulisse, Marlon Brando, qui vient d'obtenir lui-même l'Oscar du meilleur acteur pour *Sur les quais* d'Elia Kazan, fait la bise à Grace Kelly, sous les flashes de nombreux photographes !

La bise de Brando

On raconte aussi que l'Oscar remporté par Grace Kelly suscite pour la première fois l'admiration inconditionnelle de son père; Jack Kelly a regardé la cérémonie à la télévision, dans sa maison d'East Falls, en Pennsylvanie, et s'est, paraît-il, écrié : « J'arrive à peine à y croire ! De mes quatre enfants, je ne pensais pas que ce serait Grace qui me donnerait une aussi grande joie dans mon vieil âge ! » (Cité par John McCallum dans *That Kelly Family.*)

Marlon Brando reçoit l'Oscar la même année (1954) pour *Sur les quais.*

Après *Une fille de la province*, Grace Kelly dut retourner au bercail MGM : la grande compagnie réclamait sa vedette comme prévu. Mais le scénario qu'elle lui proposait n'avait rien d'exceptionnel : *L'Émeraude tragique*, d'Andrew Marton, est un de ces films de série dont on se souvient peu vingt ou trente ans après. Cette histoire d'amour et d'aventures, dans le cadre exotique de la Colombie, donne à Grace Kelly le rôle de Catherine Knowland, propriétaire d'une plantation de café, aux prises avec un aventurier incarné par Stewart Granger. Ce dernier devait confier un peu plus tard : « Grace Kelly était mécontente car elle se rendait compte qu'il s'agissait d'un simple film commercial. » (Cité par Sarah Bradford dans *Grace.*)

Avec Stewart Granger (en chemise à carreaux) et Paul Douglas dans*L'émeraude tragique* (1954).

En réalité, au fin fond de la Colombie, Grace rêvait déjà de la Côte d'Azur et du prochain film qu'elle devait y tourner sous la

direction d'Alfred Hitchcock : *La Main au collet* (analysé dans le chapitre précédent). Après l'Oscar, après son dernier film avec Hitchcock, Grace Kelly ne devait plus tourner que deux longs métrages avant de mettre un terme à sa carrière cinématographique : *Le Cygne* et *Haute Société*.

Dans le courant de l'été 1955, au moment où elle s'apprête à tourner *Le Cygne*, son dixième et avant-dernier film, Grace Kelly n'est plus tout à fait la même. Sans le savoir encore complètement, elle a scellé son avenir quelques semaines auparavant, au Festival de Cannes; elle va donner raison à une gitane qui lui a prédit un sort princier en lui lisant les lignes de la main; et elle va bientôt concrétiser ses espoirs les plus intimes – révélés au magazine américain *Collier's* lors de brèves vacances à la Jamaïque, au début de l'année 1955 : « J'aimerais beaucoup me marier et avoir des enfants. »

Les adieux au cinéma

Le changement radical qui s'annonce dans sa vie, elle le doit en effet à la rencontre qu'elle a faite en mai 1955, à l'occasion du 8e Festival de Cannes : la jeune comédienne, venue présenter *Une fille de la province* en compétition, va faire la connaissance du prince Rainier à Monaco. Nous reviendrons en détail dans le dernier chapitre, consacré à la femme et à la princesse, sur cette rencontre qui fut le début d'un véritable roman d'amour.

Le Cygne (1956) avec Louis Jourdan.

Pour le moment, retournons sur les plateaux de la Metro Goldwyn Mayer et au château de Biltmore, en Caroline du Nord, décors dans lesquels va se tourner *Le Cygne.* La logique aurait voulu que ce film de Charles Vidor tiré d'une pièce à succès de Ferenc Molnar fût le tout dernier de Grace Kelly, puisque la comédienne y incarne une princesse promise à un destin de reine. Il aurait été séduisant que les dernières images du film

COMMENTAIRE D'HELEN ROSE, COSTUMIÈRE DU *CYGNE*

« J'ai utilisé pour les costumes ce que j'ai trouvé de mieux. Des tissus magnifiques. Il fallut des semaines de travail pour orner la robe de bal de Grace Kelly de centaines de camélias, brodés pétale après pétale. Le jour de l'essayage, Grace fut éblouie. Jamais je n'avais vu une vedette vibrer d'un tel plaisir. Elle se tint devant un miroir en effleurant les camélias, et s'extasia : "C'est une pure merveille ! Quelle équipe talentueuse vous avez ici, à la MGM !" »

(Cité par Helen Rose, *Just Make Them Beautiful*, éd. Dennis Landman.)

(Grace Kelly lointaine, dominant d'un balcon son avenir royal) composent un fondu enchaîné tout naturel avec son vrai mariage princier, une petite année plus tard, en avril 1956. Toutefois, après *Le Cygne*, l'actrice tournera encore *Haute Société*.

LA DERNIÈRE SÉQUENCE DU *CYGNE*... SIGNE DU FUTUR !

« Votre père vous surnommait son cygne. C'est un symbole : le cygne glisse légèrement, comme un rêve, sur la surface calme du lac; il regagne rarement la rive où s'agite le commun des mortels... Il doit rester au centre de son lac, silencieux, immaculé, majestueux... Vous aussi, Alexandra, resterez la tête haute... »

(Commentaire que le prince Albert adresse à la princesse Alexandra.)

Dans *Le Cygne*, Grace Kelly est donc cette princesse Alexandra majestueuse, dans les années 1910. Désormais très sûre de son jeu, l'actrice voyage parfaitement entre la hauteur froide et distinguée des familles royales (son père la comparait à un cygne) et sa fougue amoureuse à l'égard du jeune précepteur de ses frères (Nicolas, incarné par l'acteur français Louis Jourdan) : la princesse Alexandra va l'embrasser passionnément sur la bouche, sous les yeux ébahis du prince Albert (Alec Guinness), avec lequel elle doit en principe convoler pour assurer l'avenir du royaume !

Superbement vêtue de robes de mousseline ou de tenues d'escrime dans ses moments de loisir, Grace Kelly offre de nouveau toute sa palette, entre l'élégance extérieure et le feu intérieur.

Entre deux scènes, et lorsque les projecteurs s'éteignent, le soir, Grace Kelly repense déjà sérieusement au prince Rainier : son partenaire Alec Guinness et d'autres membres de l'équipe du film déclarent que la comédienne a parfois « l'air un peu ailleurs »... Ces « absences », en tout cas, ne sont certainement pas visibles à l'écran : dans *Le Cygne*, Grace Kelly est toujours aussi resplendissante, et la critique ne se prive pas de le lui dire : « La couleur met en évidence la grâce fragile de Miss Kelly, dont le teint de porcelaine donne à penser que la princesse est comme éclairée de l'intérieur », écrit Robert Chazal dans *Paris-Presse*, le 20 avril 1956.

Avec Alec Guinness dans *Le Cygne* (1956).

« Princesse » : le mot est lâché ! Lorsque *Le Cygne* sort sur les écrans, aux États-Unis comme en France, Grace Kelly est déjà Mme Grimaldi, alias Son Altesse Sérénissime la princesse de Monaco, depuis le 19 avril 1956. Désormais les journaux américains ne l'appellent plus que « la princesse de Philadelphie »...

Le 17 janvier 1956, lorsque la jeune actrice (elle n'a pas encore vingt-sept ans) s'apprête à tourner *Haute Société*, elle est officiellement fiancée, depuis quelques jours, au prince Rainier. Et la première requête qu'elle fera à Dore Schary, président de la Metro Goldwyn Mayer, sera de garder au doigt, pendant le tournage, sa bague de fiançailles, un superbe solitaire en diamant de douze carats.

Les immenses (et heureux !) bouleversements que connaît alors sa vie ne l'empêchent pas de se consacrer avec toujours autant de conscience professionnelle à son nouveau rôle : celui de Tracy Lord, jeune fille de la haute société, qui doit épouser en secondes noces un parfait snob (l'acteur John Lund), mais préférera finalement se remarier avec son premier époux, un bohème, chanteur et musicien de jazz, incarné par Bing Crosby. L'intrigue comporte un duo amoureux chanté avec Crosby, sur une chanson de Cole Porter, *True Love* : pour cette seule scène, la comédienne a tenu à prendre des leçons de chant pendant plusieurs semaines à New York. Le plus fort de l'histoire, c'est que le 45 tours de cette ballade romantique se vend à plus de un million d'exemplaires ! Grace Kelly obtient ainsi son premier (et unique !) disque de platine, à la grande surprise de Johnny Green, directeur musical du film, qui

Avec Celeste Holm et Bing Crosby dans son tout dernier film : *Haute Société* (1956).

ne croyait guère au potentiel vocal de l'actrice ! Pour des raisons plus générales, Grace Kelly étonne son partenaire Frank Sinatra, qui joue le rôle du journaliste venu faire un reportage sur le mariage de la jeune femme : « Ça me faisait tout drôle de devoir la prendre dans mes bras, car son mariage était proche. Elle s'en était aperçue, et c'est elle qui, avant chaque scène, me demandait d'un ton plutôt ferme : "N'hésitez pas à me serrer plus fort s'il le faut !" C'est là que j'ai compris combien elle pouvait être une actrice très exigeante, minutieuse, presque maniaque, veillant au moindre détail... Je n'ai jamais vu, d'ailleurs, quelqu'un connaissant son rôle par cœur comme elle. Avec Bing Crosby, on était sans cesse en train d'écrire des phrases au stylo sur la main, pour ne pas les oublier. Grace se moquait gentiment de nous, en disant que ça abîmait les mains. Elle avait beaucoup d'humour, souvent un peu froid... » (Cité dans *Télé 7 Jours*, décembre 1982.)

Haute Société est la dernière apparition de Grace Kelly à l'écran (du moins, dans une fiction hollywoodienne), le dernier témoignage de sa beauté éclatante, de sa parfaite aisance aussi bien en tenue sport (au début, elle est très simple, en pantalon de coton et chemisier beige) qu'en maillot une-pièce au bord de la piscine

Duo romantique avec Bing Crosby, et... alcoolisé avec Frank Sinatra ! (*Haute Société*).

(un maillot qui fait tout de même très haute couture sur elle !) ou encore dans d'élégantes robes de mousseline bleue ou jaune : le film de Charles Walters est un véritable festival vestimentaire signé Helen Rose, la costumière de la MGM qui dessinera aussi la robe de mariée de la princesse Grace. Quant au jeu dramatique, Grace Kelly offre une dernière fois sa gamme extraordinaire allant de la mégère chic à la jeune femme amoureuse, voire carrément ivre ! Une prestation tout en charme qui, malgré les dires de quelques critiques trop pointus, égalait largement celle de Katharine Hepburn dans *Indiscrétions* (*The Philadelphia Story*) [*Haute Société* est en effet un remake musical de ce film de George Cukor datant de 1940, où K. Hepburn avait pour partenaires Cary Grant et James Stewart.

La dernière image

'Il faut savoir que le prince Rainier était présent pendant la plus grande partie du tournage de *High Society* (pendant six semaines, il s'installa dans une villa de Bel Air, à Los Angeles); son père, le prince Pierre de Polignac, vint également sur place, pour faire la connaissance de la charmante fiancée; et, lors de ce séjour américain, après l'annonce officielle de leurs fiançailles, le prince Rainier devait déclarer très clairement à la presse : « Je ne souhaite pas que ma femme travaille... D'ailleurs, nous sommes d'accord à ce sujet. »

LES OSCARS 1956

« La cérémonie de remise des Oscars se transforma, comme on pouvait s'y attendre, en une ruée sur Grace. Celle-ci, acculée dans un coin par une foule de journalistes et de photographes, s'écriait : "Mais je n'ai rien gagné, moi !" À quoi l'un des responsables de l'organisation répondit : "Si. Un prince !" »

(*Grace,* de Sarah Bradford.)

Indiscrétions (Philadelphia Story - 1940) : première version de *La Haute Société.*

Symboliquement, la MGM maintiendra le contrat de sa vedette jusqu'en 1966. Mais, dès ce début de l'année 1956, la grande compagnie comprend qu'elle a perdu une star. Grace Kelly ne tournera pas le film prévu dans son contrat après *Haute Société : Designing Woman,* ou *La Femme modèle.* Ce film sera réalisé en 1957 par Vincente Minnelli, avec Lauren Bacall dans le rôle qui devait être attribué à Grace Kelly. Le 21 mars 1956, la comédienne est invitée à la cérémonie des Oscars et remet publiquement l'Oscar du meilleur acteur à Ernest Borgnine pour *Marty.*

Ce sera sa dernière apparition officielle à Hollywood. Le 4 avril 1956, Grace Kelly quitte définitivement l'Amérique à bord du paquebot *Constitution.* Destination : un minuscule port de la Méditerranée, qui porte le double nom de Monte-Carlo et Monaco.

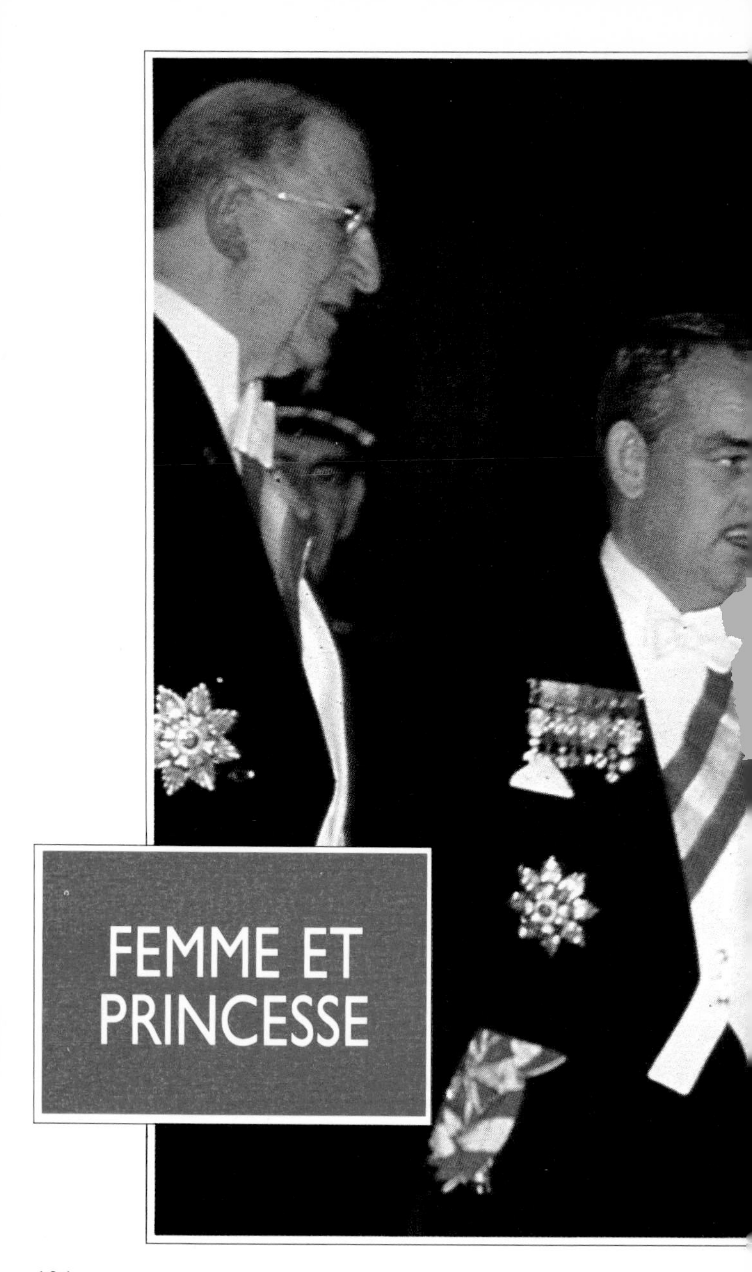

FEMME ET PRINCESSE

En 1956-1982 : paradoxalement, vues de l'extérieur, ces vingt-six années passées sous la couronne princière paraissent moins chargées d'événements que les cinq ou six petites années qui ont fait la gloire de l'actrice à Hollywood. C'est qu'en 1956 on entre dans une période certes éminemment publique et médiatisée de la vie de Grace Kelly, mais aussi et surtout dans son bonheur le plus privé et le plus intime : celui de la toute jeune princesse, de la mère, de la femme de goût qui se consacre à l'art floral, de la Grace Kelly officielle qui préside à toutes sortes de cérémonies : bals de la Croix-Rouge, festivals des arts, expositions florales, manifestations d'aide aux enfants handicapés...

Philippe Labro, lui rendant hommage dans Paris-Match, *affirme : « Le rôle qu'elle a joué avec le plus de talent aura été celui de S.A.S. la princesse Grace de Monaco. » Même si ce rôle et ce personnage officiels pouvaient, d'année en année, paraître répétitifs face aux extravagances imaginées par les scénaristes hollywoodiens...*

À propos d'Hollywood, il faut prendre du recul par rapport à certains commentaires qu'on trouve dans le livre récent de James Spada (Grace. Les vies secrètes d'une princesse). *Il est un fait incontestable : quelques hommes (connus ou moins connus) sont tombés amoureux de Grace Kelly lorsqu'elle était jeune fille. Il est sûr que deux prétendants sérieux se sont déclarés à une certaine époque (peu de temps avant sa rencontre avec le prince Rainier) :*
le comédien Jean-Pierre Aumont et le couturier Oleg Cassini. Mais ce qu'il faut dire surtout, au-delà des potins inélégants, c'est que la jeune femme séduisait par sa personnalité exceptionnelle : « Les hommes préfèrent les dames », devait titrer à son propos l'hebdomadaire américain Time *lorsqu'il lui consacra sa une en 1955. « À Hollywood, les filles faciles sont légion, tandis qu'une personne de qualité, c'est une rareté », devait dire une personnalité proche des milieux du cinéma à cette même époque. C'est finalement dans l'ouvrage de Sarah Bradford qu'on trouve le commentaire le plus juste sur la comédienne et la femme : « Grace plaisait à la fois aux hommes et aux femmes. Aux hommes parce qu'elle était attirante sans être prédatrice... Et aux yeux des femmes, elle représentait une image romantique mais nullement asexuée, et, de toute façon, plus qu'un simple objet sexuel. »*

À présent, rouvrons le dernier livre d'images : celui de la rencontre avec le prince Rainier en mai 1955, du mariage en avril 1956, de la mère de Caroline, d'Albert et de Stéphanie et, malheureusement, l'album tragique de l'accident...

Mai 1955. Un an après le tournage de *La Main au collet*, Grace Kelly revient à Cannes : elle a été invitée à présenter *Une fille de la province* en compétition officielle, dans le cadre du 8e Festival international du film. La comédienne ne se doute pas encore que ce festival sera très spécial, plein d'événements imprévus. Mais, pour une fois, ces événements ne devront rien au septième art. *Une fille de la province*, le film de George Seaton produit par la Paramount, repartira d'ailleurs sans récompense aucune...

Brève rencontre

Avec une étonnante avance sur le tam-tam médiatique des années 80, l'hebdomadaire français *Paris-Match*, qui pratique déjà sa politique du « choc des photos » (même si le slogan ne sera adopté que beaucoup plus tard), tente d'organiser une rencontre entre la jeune Grace et le prince Rainier de Monaco. L'idée vient du directeur du journal, Gaston Bonheur, et la mission reportage va être confiée au journaliste Pierre Galante. Ce dernier a l'avantage de bien connaître le milieu du cinéma car il est marié à l'actrice américaine Olivia de Havilland (Melanie dans *Autant en emporte le vent*). Mieux encore, Olivia de Havilland connaît personnellement Gladys de Segonzac, qui accompagne Grace Kelly pendant toute la durée du séjour cannois.

L'homme dont elle va tomber amoureuse en 1955.

Le prince Rainier a accepté de rencontrer la vedette d'*Une fille de la province* et fixé le rendez-vous au vendredi 6 mai, 15 heures; le journaliste Pierre Galante n'a plus qu'à obtenir le O.K. définitif de Grace Kelly.

LA RENCONTRE VUE PAR GRACE...

« J'ai rencontré le prince, et nous nous sommes promenés lentement à travers le palais et dans les jardins. Il faisait très beau. Je regrettais toutefois d'avoir mis la robe que j'avais ce jour-là. C'était une robe imprimée, à fleurs, qui ne convenait pas à la photo ! »

(Interview accordée au *Saturday Evening Post*, citée par Bertrand Meyer dans *Grace*.)

Mais quelle jeune fille aurait refusé de rencontrer un prince ? Tout cela (l'idée folle de *Paris-Match*, les négociations de part et d'autre) s'est passé en moins de vingt-quatre heures, puisque Grace Kelly a posé le pied sur le sol cannois le jeudi 5 mai.

Le vendredi 6, à 13 h 30 précises, Grace Kelly rejoint Pierre Galante, ainsi que deux photographes de

Sa première visite à Monaco, en mai 1955.

Paris-Match, dans le hall du célèbre hôtel *Carlton* où descendent toutes les stars. La comédienne porte une superbe robe de soie noire imprimée de roses rouges et vertes. Elle est coiffée d'une sorte de tiare de fleurs artificielles, à défaut d'un chapeau plus protocolaire, que sa compagne Gladys n'a pu trouver en si peu de temps...

... ET PAR
LE PRINCE RAINIER

« Il était difficile de ne pas s'apercevoir que Miss Kelly était jolie ! Mais je pense que ce sont d'autres qualités qui m'ont vraiment séduit : j'ai été frappé par la maturité et la fraîcheur de cette jeune star, par sa culture et sa sensibilité. Il n'y avait en elle aucune frivolité... »

(Cité par Bertrand Meyer dans *Grace*.)

Cinquante kilomètres à couvrir de Cannes à Monaco, sur les routes encombrées du festival, un petit incident entre la voiture où se trouve Grace Kelly et une voiture qui suit... Il n'en faut pas plus pour que la jeune actrice arrive à Monaco un rien nerveuse : Grace s'inquiète de savoir comment il faut s'adresser au prince Rainier, s'ils vont parler français ou anglais; elle exprime même une légitime curiosité vis-à-vis de son âge ! En fait, le prince Rainier III de Monaco a près de trente-deux ans et règne depuis 1949.

Cependant, à partir du moment où Grace et Rainier se trouvent ensemble, visitant le palais princier puis la ménagerie personnelle du prince, il n'y a plus aucune nervosité dans l'air. Tout se passe le plus simplement du monde. On peut dire, rétrospectivement, qu'il y eut ce jour-là un autre type d'électricité dans le ciel monégasque : celui des affinités électives. Pierre Galante devait écrire après coup : « La simplicité et le sourire bon enfant de Rainier surprennent Grace Kelly et la mettent à l'aise. »

Voilà donc un 6 mai qu'on peut qualifier d'historique ! Ce n'est plus tout à fait la même Grace Kelly qui regagne Cannes en fin d'après-midi. À Gladys de Segonzac, à Olivia de Havilland, elle répétera plusieurs fois :

Envoutée par la Côte d'Azur...

« *He is very, very charming.* » « Il est très, très charmant. » Dans ce deuxième « très », dans cette façon de souligner le charme latin du prince Rainier, s'ébauche déjà une longue histoire d'amour.

En mai 1955, à Cannes, elle retrouve aussi Jean-Pierre Aumont.

Au Festival de Cannes, les spécialistes des potins et commérages en tout genre ne se doutent de rien : ils en sont encore à se demander s'il y a ou non une idylle sérieuse entre Grace Kelly et l'acteur français Jean-Pierre Aumont.

Après la présentation officielle d'*Une fille de la province*, Grace Kelly regagne très vite les États-Unis pour y tourner *Le Cygne*. Quelques mois plus tard, en décembre 1955, le prince Rainier part pour la première fois aux Etats-Unis pour revoir Grace. Le jeudi 29 décembre au matin, Grace Kelly téléphone à sa mère et lui avoue : « Je suis très amoureuse ! » Le 5 janvier 1956, à Philadelphie, Jack Kelly annonce officiellement les fiançailles de sa fille avec le prince Rainier III de Monaco. Interrogé par un journaliste, il indique très clairement que le prince lui a plu : « Comme toute la famille Kelly, j'ai été impressionné par le "bonhomme" et non par le simple fait qu'il était prince. » (Cité par John McCallum dans *That Kelly Family*.)

Quelques jours plus tard, les jeunes fiancés célèbrent l'événement à New York, dans les salons du grand hôtel *Waldorf Astoria*. La presse et les photographes, qui traquent déjà le couple, montent une opération de mauvais goût : une Sud-Américaine très excitée va se jeter au cou du prince Rainier; ce dernier affirme qu'il ne la connaît pas, et Grace, comprenant très vite le subterfuge, lance : « C'est un coup monté des reporters américains ! » Le couple Rainier-Kelly est déjà la cible de tous ceux qui recherchent le scandale ou l'anecdote croustillante.

En tout cas, pour toute l'Amérique, Grace Kelly est devenue « *The Philadelphia Princess* ». Et la future princesse quitte définitivement sa terre natale le 4 avril 1956, à bord du paquebot *Constitution*. Grâce à une liaison radiophonique entre la Voix de l'Amérique et Radio Monte-Carlo, la jeune femme dit au revoir aux Américains et, en

A bord du paquebot qui l'emmène de New York à Monaco, en avril 1956.

LA FEMME IDÉALE SELON RAINIER

« J'aime les jeunes filles simples plutôt que le genre mannequin ou les femmes à la sexualité trop agressive. Je ne supporte pas non plus les intellectuelles snobs... ni d'ailleurs les snobs tout court ! Ce que je recherche, c'est une jeune fille qui me procurerait le sentiment qu'elle est extraordinaire... »

même temps, salue pour la première fois les Monégasques, par ces mots : « Je suis très émue de quitter les États-Unis, ce pays où je suis née et où j'ai grandi Mais aussi tellement heureuse d'apporter aux Monégasques l'affection de leurs amis d'Amérique. Je souhaite dire à mes futurs compatriotes que le prince, mon fiancé, m'a déjà appris à les aimer... » (Cité par Gwen Robyns dans *Princess Grace*, éd. D. Mac Kay, 1976.)

Arrivée officielle de Grace Kelly à Monaco, le 12 avril 1956.

Le 6 mai 1955, lors de sa première visite à Monaco, Grace Kelly avait découvert un minuscule royaume de 3 km de long sur 250 m de large. Le 12 avril 1956, à 9 h 45 du matin, après quelques jours de traversée entre New York et la Méditerranée, la jeune femme retrouve cette principauté qui va être aussi la sienne. Le prince Rainier l'attend à bord de son yacht personnel, le *Deo Juvante II*. Grace emprunte une passerelle mise en place entre le paquebot *Constitution* et le petit

bateau princier, faisant symboliquement le lien entre l'Amérique et l'Europe.
C'est déjà un événement : tous les yachts ancrés dans le port de Monaco émettent de longs coups de sirène; avions et hélicoptères tournoient au-dessus de cette scène digne d'un film; et, sommet de cette matinée d'avril, l'armateur grec Aristote Onassis, ami de Rainier, lance depuis son avion privé une pluie d'œillets rouges et blancs – les couleurs de Monaco.

Pendant quelques jours, Grace Kelly ne sort pratiquement pas du palais princier : elle s'habitue au protocole, répète ses premiers pas de princesse en vue de la cérémonie. Le 18 avril, c'est le mariage civil, à 11 heures du matin, dans la salle du trône du palais. Une brève cérémonie de seize minutes, dirigée par un magistrat du nom de Portanier. « Me voilà déjà à moitié mariée ! » lance Grace avec humour.

Le lendemain, 19 avril, c'est enfin le jour du mariage religieux. Cette immense cérémonie, elle, va durer trois heures en la cathédrale de Monaco, sous les auspices de Mgr Barthe, évêque de Monaco. Grace porte une robe splendide, dotée d'une traîne longue de cinq mètres, que lui a confectionnée Helen Rose, la fidèle costumière de la Metro Goldwyn Mayer, tandis que le prince Rainier s'est fait faire tout spécialement un uniforme inspiré de celui des maréchaux d'Empire, qu'il a dessiné lui-même.

Mariage royal

Il est 10 heures du matin. La cérémonie va être suivie par quelque 30 millions de personnes dans neuf pays : elle est télévisée en direct, en Eurovision; la cathédrale abrite quelque 80 haut-parleurs... Dans la foule, on dénombre 2 000 journalistes et 750 invités de marque, dont l'ex-roi Farouk d'Égypte, l'Aga Khan et la Bégum, les écrivains Marcel Pagnol, Jean Cocteau, Somerset Maugham, les comédiennes Gloria Swanson et Ava Gardner, l'armateur Aristote Onassis et même François Mitterrand, alors ministre de la Justice, représentant le président de la République française, René Coty.

Encore quelques chiffres, pour mesurer cet événement exceptionnel : un gâteau de mariage pesant la bagatelle de 90 kg, et des cadeaux royaux – c'est le cas de le dire ! La principauté a offert à sa souveraine un collier, une broche, un bracelet et une bague comportant au total 800 diamants et 70 rubis. La reine Elizabeth d'Angleterre a envoyé au couple princier un magnifique plateau en or. Du côté des Kelly, on fait parvenir à Grace

LA ROBE DE LA MARIÉE

« La robe de la mariée, offerte par la MGM, était le chef-d'œuvre d'Helen Rose – et, de son propre aveu, la plus coûteuse qu'elle eût jamais conçue (7 226 dollars). La dentelle ancienne, au point de rose, du corsage et de la traîne avait été achetée pour 2 500 dollars à un musée français, et la jupe était en *soie gros de Londres*, un tissu qui ne se fait plus. Au-dessous, les jupons étaient parsemés de petits nœuds de satin bleu (l'usage anglo-saxon voulant que la mariée porte quelque chose de bleu); et, selon la styliste, ces jupons avaient été réalisés avec un tel soin qu'ils auraient pu être portés séparément comme robes du soir ! »

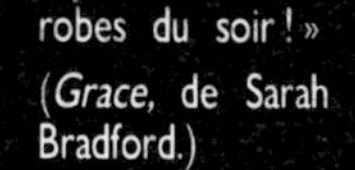

(*Grace*, de Sarah Bradford.)

L'instant solennel...

et au prince Rainier un grand lit à deux places, de fabrication irlandaise : c'est, paraît-il, un porte-bonheur !

En fin d'après-midi, après un grand lunch auquel assistent les privilégiés, le couple princier s'éclipse pour rejoindre le yacht *Deo Juvante II* et s'offrir, pour lune de miel, une croisière en amoureux.

Désormais, Grace Kelly est devenue Son Altesse Sérénissime Grace Patricia Grimaldi, princesse de Monaco. Quant au prince Rainier, il peut envisager sereinement sa descendance, qui permettra à Monaco de conserver le statut de principauté indépendante du gouvernement français : aux termes de l'accord de 1861, si le trône de Monaco est vacant, la principauté devient protectorat français, soumis aux mêmes obligations fiscales que le reste du territoire.

Début d'un voyage de noces...

Cependant, pour dissiper tout malentendu ou commérage déplacé, le prince Rainier a pris soin de préciser, dès décembre 1955, dans l'interview qu'il a accordée au magazine américain *Collier's* : « Je considère comme un devoir envers mon peuple de me marier, mais j'aurai une exigence qui ne relève pas de la politique : le devoir de vivre en accord avec moi-même en épousant une femme que j'aime. Je ne me marierai que par amour. Je n'accepterai aucune union dictée par d'autres impératifs. »

Un palais de plus de 200 pièces, des fonctionnaires et leurs familles vivant dans la résidence princière à longueur d'année, un grand chambellan, des secrétaires, un aumônier, un majordome, un chef sommelier, et toute une cohorte de valets et domestiques constamment en habit d'apparat (veste et pantalon verts, gilet rouge à boutons dorés) : tel est l'extraordinaire domaine que la princesse Grace allait découvrir au retour de sa lune de miel. Une véritable ville dans la ville, sur laquelle elle devrait imposer une certaine autorité, en compagnie de son époux. De quoi donner le vertige à une jeune femme de vingt-sept ans ! « Ex-reine d'Hollywood et accoutumée à ordonner sa vie et sa carrière comme elle l'entendait, il lui fallait s'habituer à vivre dans un palais rappelant par son organisation indépendante une petite cité médiévale, avec ses propres services de maintenance, comprenant des électriciens, des plombiers, des teinturiers, des tapissiers – l'ensemble étant placé sous les ordres d'un régisseur – et près de trente femmes pour les seuls travaux de blanchisserie... », commente Sarah Bradford (*Grace*).

Un nouveau rôle

Mais on connaît maintenant le caractère à la fois calme et volontaire de Grace Kelly : la jeune femme ne se laisserait certainement pas dépasser par l'étrangeté ou l'immensité de ses nouvelles tâches ! Retroussant en quelque sorte ses manches dorées, Grace s'attaque de front à son nouveau rôle. Il faut diriger une quinzaine de maîtres d'hôtel et valets pour le moindre dîner, faire obligatoirement la révérence en accueillant

chaque visiteur de marque. « Être princesse est un métier, souligne alors Grace Kelly. J'ai accepté de le faire et de consacrer tout le temps qu'il fallait à apprendre comment bien le faire. » (Cité par Gwen Robyns dans *Princess Grace.*)

Le nouveau domaine de Grace : le palais de Monaco.

Il lui faudra deux bonnes années pour se familiariser complètement avec ce protocole. Mais Grace Kelly, qui n'a jamais subi passivement les événements, va également beaucoup plus loin et s'emploie à faire de Monaco un centre artistique et culturel digne de ce nom. Elle y crée une exposition internationale d'art floral, invite personnellement les plus grands artistes, tels le Bolchoï, Rostropovitch ou Yehudi Menuhin, au Festival international des arts qui a lieu chaque année à Monaco de juin à septembre; Grace assume aussi avec un grand dynamisme les fonctions officielles que lui confie le prince Rainier :

en 1958, elle devient présidente de la Croix-Rouge monégasque, et en 1963, présidente de l'Association mondiale des amis de l'enfance. À ces divers titres, la jeune femme préside et inaugure tous les bals et soirées de gala donnés à Monaco, s'acquittant avec une grande aisance de leur aspect mondain : toutes ces manifestations accueillent des hôtes illustres comme la reine Victoria Eugénie d'Espagne, la princesse Sophie de Grèce, de célèbres comédiens et amis personnels tels Elizabeth Taylor et Richard Burton, Sophia Loren, Cary Grant, Frank Sinatra.

Le charme et l'intelligence de Grace Kelly réussissent même à opérer sur de sévères personnalités du monde politique : en octobre 1959, le couple princier est reçu à l'Élysée par le général de Gaulle; celui-ci, peu impressionnable de nature, est tout à fait séduit par Grace Kelly, qui connaît parfaitement les *Mémoires* du chef de la France libre et lui en cite des passages entiers !

En toute circonstance, cette jeune femme, qui se métamorphose peu à peu en une princesse responsable, tient à garder son sens de l'humour : « On me dit froide et distante, alors que je ne suis que... myope ! » dit-elle avec malice à l'hebdomadaire *Ciné-Revue* en juin 1977.

Ses nouvelles fonctions : visite à l'Elysée et gala de la Croix-Rouge...

La ténacité de Grace Kelly dans ce nouveau rôle est d'autant plus remarquable que, dès 1957, elle assume ce qui est généralement considéré comme la plus belle mission d'une femme : la maternité.

La mère et l'artiste

Le 23 janvier 1957, neuf mois et quatre jours après son mariage, Grace Kelly met au monde son premier enfant : Caroline Louise Marguerite. Un superbe bébé de 4,1 kg ! L'enfant, dès les premiers jours de sa vie, est appelée « Madame Caroline » par l'entourage des époux princiers, selon l'étiquette en vigueur dans toutes les cours du monde.

À peine plus d'un an plus tard, le 14 mars 1958, le frère cadet de Caroline voit le jour : de nouveau, un beau bébé, blond aux yeux bleus, prénommé officiellement Albert Alexandre Louis Pierre, mais que tous les proches vont appeler affectueusement Albie. « C'est l'une des plus grandes joies de ma vie ! » déclare le prince Rainier qui voit l'arrivée de cet héritier masculin avec le double enthousiasme du papa typiquement latin et du monarque qui considère l'avenir de son territoire comme assuré.

Enfin, le 1er février 1965, naît le troisième enfant de la famille Grimaldi : Stéphanie Marie Élisabeth, qui restera, comme toutes les benjamines du monde, « la petite », l'enfant gâtée, encore plus choyée que les aînés.

MAMAN MONACO

« Avec Stéphanie, par exemple, la mère doit avoir de l'autorité et se faire respecter... Mais avec Caroline, la mère doit être là pour discuter des choses... À quoi tient le conflit des générations ? Quelquefois, cela tient simplement au fait que vous ne vous êtes pas préoccupé des enfants avant qu'ils aient eu seize ans. Soudain, vous vous réveillez et vous voulez devenir leur ami. Mais c'est trop tard ! On risque aussi la catastrophe quand on veut claquer la porte... Parfois, les enfants vous mettent le dos au mur, vous avez envie de les étrangler ! Mais vous devez laisser une porte ouverte. Parce que, lorsqu'elle est fermée, c'est fini ! »

(Grace Kelly dans *Paris-Match*, 13 mars 1976.)

Pour Grace Kelly, ce dernier événement heureux intervient cependant après une série de drames et ennuis personnels : le 20 juin 1960, son père meurt d'un cancer de l'estomac; et avant de mettre au monde Stéphanie, Grace a fait deux fausses couches (elle en subira une troisième, assez grave, en 1967, à Montréal).

Désormais, la vie de Grace de Monaco se déroule selon les rythmes classiques de toute famille unie, avec des pauses, tous ensemble, pendant les vacances scolaires (l'hiver à la neige et le reste du temps dans leur résidence de Roc Agel, à une demi-heure de Monaco).

Avec sa façon bien à elle de pousser les choses jusqu'à la perfection, Grace Kelly devient une mère modèle, soulignant très souvent qu'il faut savoir « tout sacrifier à ses enfants », tout en respectant leur liberté : difficile équilibre, que bien des parents ont tenté d'assurer !

Ce rôle accaparant ne peut plus s'accommoder de certaines fantaisies : en 1962-1963, Grace Kelly est tentée de retourner à Hollywood lorsque Alfred Hitchcock lui propose le rôle de Marnie (finalement tenu par Tippi Hedren); mais, très vite, elle comprend que cette escapade n'est pas souhaitable et tire un trait définitif sur son ancien métier de comédienne. Plus tard, en juin 1976, elle déclarera à ce propos, dans l'hebdomadaire *Ciné-Revue* : « Le cinéma est un chapitre clos depuis longtemps, une période liée à ma jeunesse. À présent, je suis une épouse et une mère pleinement comblée, et je n'ai d'autre désir que de continuer à assumer avec joie ces deux devoirs. » Ce qui n'empêche pas la famille princière de savourer de nouveau *Le train sifflera trois fois* et *La Main au collet* (les deux films préférés des enfants Grimaldi-Kelly) dans la salle de cinéma spécialement aménagée à l'intérieur du palais.

Marnie, le rôle qui devait la ramener à Hollywood en 1963... Il sera tenu par Tippi Hedren (face à Sean Connery).

Mais Grace n'oublie pas l'Amérique et ses amis d'outre-Atlantique : elle fête ses vingt-cinq ans de mariage chez Frank Sinatra, à Palm Springs, en compagnie d'autres vieux camarades comme Gregory Peck et Cary Grant.

En fait, la seule plage de solitude que se réserve la princesse de Monaco est celle des fleurs et de l'art floral : à partir de 1971,

dans une petite pièce du palais qu'elle considère comme son atelier (« tout en désordre ! » dit-elle), elle se consacre très souvent à des collages de fleurs, de feuilles et d'herbes séchées, qu'elle appelle ses « tableaux naturels », signés G.P.K. (Grace Patricia Kelly). « Les choses les plus simples, comme les mauvaises herbes, font souvent le plus d'effet », révèle-t-elle.

Les fleurs : une passion naturelle et... littéraire !

Elle en fera plusieurs expositions, notamment en 1977, à Paris, où ses tableaux se vendront entre 3 000 et 8 000 F. Et elle y consacrera également, avec Gwen Robyns, un très bel ouvrage paru en France en 1986 sous le titre *Mon livre des fleurs*. Il s'ouvre sur ces quelques mots de l'écrivain Maurice Maeterlinck : « Savons-nous ce que serait une humanité qui ne connaîtrait pas la fleur ? Si celle-ci n'existait pas, si elle avait toujours été cachée à nos regards... notre caractère, notre morale, notre aptitude à la beauté, au bonheur seraient-ils bien les mêmes ? »

En dehors des soucis normaux de toute mère (assurer le bonheur de sa fille Caroline, qui avait fait un mariage et un divorce éclairs avec Philippe Junot, composer avec le tempérament plutôt sauvage de Stéphanie, qui se pliait mal aux contraintes de la vie princière), Grace Kelly était, somme toute, heureuse.

En juin 1982, elle envisage même avec sérénité un nouveau tournant de la vie : Stéphanie vient d'avoir son bac, elle sera majeure dans un an, et ses parents pourront sûrement souffler un peu, prendre quelque recul.

Heureuse, avec ses trois enfants, en 1977.

Après deux événements émouvants (la Nuit des Mille Étoiles, à New York, où Grace Kelly est accueillie de manière très affectueuse par ses compatriotes, et un séjour à Philadelphie, sa ville natale, qui lui rend un très bel hommage au mois de mars), Grace regagne la principauté le cœur empli de tous ces chaleureux témoignages. En août 1982, le prince Rainier et son épouse partent pour une croisière sur le *Mermoz*. Et, de nouveau à Monaco, en septembre, Grace Kelly rencontre ce qu'il faut bien appeler son destin :

L'accident

le 13 de ce mois, par une belle journée, elle prend l'une des voitures de la famille princière, une Rover 3500, pour descendre de la propriété de Roc Agel jusqu'à Monaco. Elle est accompagnée de sa fille Stéphanie.

La petite route qui relie la résidence de Roc Agel à Monaco n'est pas longue mais délicate, faite de lacets et de virages assez dangereux. Comme toujours lorsque le destin est décidé à se manifester, les individus commettent de petites erreurs, qui ne paraissent fatales qu'après coup : ainsi, ce matin-là, Grace Kelly a donné congé à l'un des chauffeurs de la famille, Christian Silvestri, pour conduire elle-même.

**Du virage fatal...
à la douleur familiale.**

Mais, à quelques kilomètres de la principauté, la Rover rate un virage, fait une chute de quarante mètres en contrebas de la route, heurte les pins et les arbrisseaux, pour finir contre un petit mur de ciment. Retourné sur son flanc droit, le véhicule prend feu immédiatement. On en retire, du siège avant, une Stéphanie très commotionnée, tandis que la princesse Grace a été apparemment projetée à l'arrière. D'où les rumeurs, par la suite, disant que c'était en fait Stéphanie qui conduisait. Mais la jeune fille, qui n'a alors que dix-sept ans, n'a pas son permis de conduire et la princesse

Grace ne l'aurait certainement pas laissée prendre le volant...

Il est 10 h 10 du matin. Les deux femmes sont transportées d'urgence à l'hôpital Princesse Grace de Monaco. L'épouse du prince Rainier est déjà très gravement atteinte. Après un coma de plus en plus profond durant la nuit du 13 au 14 septembre, la princesse Grace meurt dans l'après-midi du mardi 14. Selon le bilan établi par les médecins, Grace Kelly a eu une première hémorragie cérébrale au volant de sa voiture, perdant ainsi le contrôle du véhicule; puis elle est morte des suites des graves traumatismes causés par l'accident même, notamment une seconde hémorragie cérébrale beaucoup plus grave que la première.

C'est dans un Monaco frappé de stupeur, le samedi 18 septembre, qu'ont lieu les funérailles. « Ce jour-là, on n'entendit pas un seul bruit dans toute la principauté », dira plus tard le prince Rainier.

Pendant trois jours, le corps de Grace Kelly est exposé dans une petite chapelle qui jouxte la cathédrale. Et le mardi 21 septembre, le cercueil est placé dans le caveau de famille des Grimaldi, sous le maître grand autel de la cathédrale.

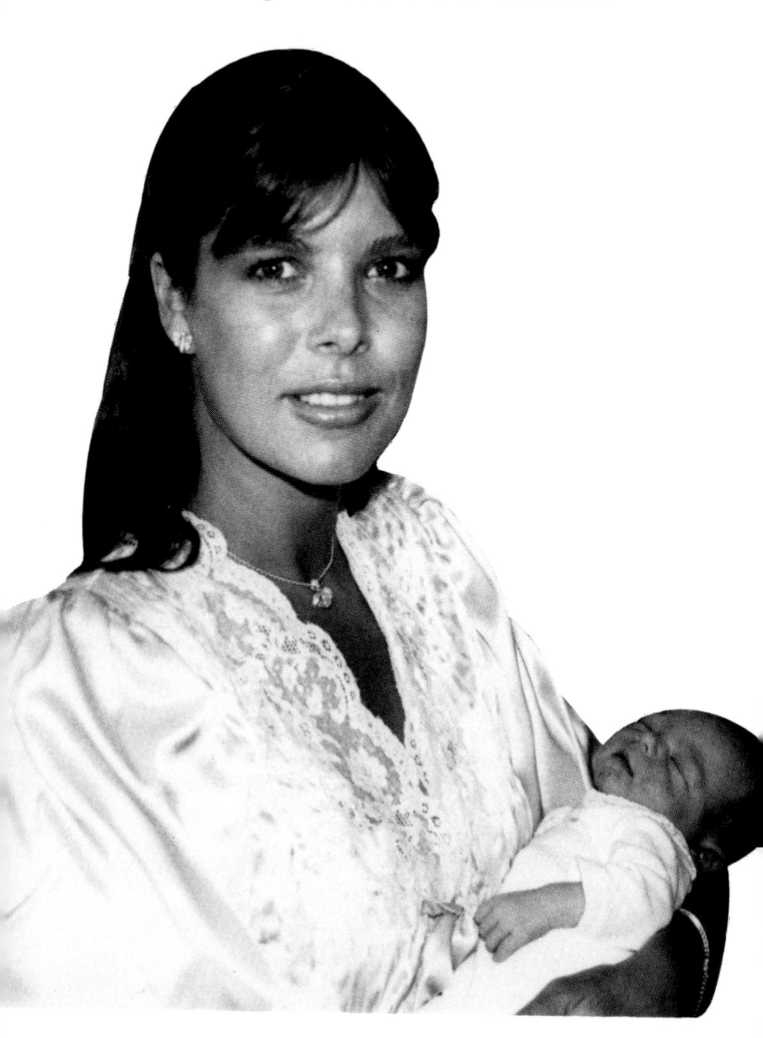

Au loin, la presse américaine s'est faite l'écho du tragique événement. « Adieu, princesse ! » peut-on lire à la une d'un grand quotidien new-yorkais. En ce mois de septembre 1982, Grace Kelly était toujours chère au cœur des Américains et de tous ceux qu'elle avait côtoyés, célèbres ou non.

Caroline avec son second enfant (août 1986) et, à Paris, avec Stéphanie et le prince Albert (novembre 1988).

Aujourd'hui, la presse parle toujours de la famille Rainier : les enfants de Caroline, les disques ou les escapades californiennes de Stéphanie, les problèmes de succession du prince Albert.

La vie continue.

Le couple princier,
la femme épanouie, à 52 ans.

Les réactions

La princesse Caroline

« Maman m'a toujours dit : "N'oublie jamais que ton grand-père était maçon !" Je l'admire beaucoup. Elle est formidable. Elle a une douceur et une classe folles. » (*Paris-Match*, 23 avril 1982.)

Le journaliste et écrivain Philippe Labro

« Quelques minutes où tout bascule, et le superbe livre d'images est déchiré, raturé, annihilé par le fait divers. La princesse Grace de Monaco est morte. La légende commence. » (*Paris-Match*, 24 septembre 1982.)

L'écrivain Anthony Burgess

« Ce n'était pas simplement une vedette de cinéma, mais une femme d'une intelligence remarquable. » (*Grace*, de Sarah Bradford.)

Le comédien Bob Hope

« Grace Kelly était la personnification du rêve américain, la princesse des contes de fées, la Cendrillon en chair et en os. » (*France-Soir*, 15 septembre 1982.)

François Mitterrand

« J'ai appris avec beaucoup de tristesse la disparition de la princesse Grace de Monaco, qui frappe de stupeur tous ceux qui avaient pu apprécier ses grandes qualités humaines... » (*France-Soir*, 15 septembre 1982.)

Filmographie

1951

Quatorze Heures
(Fourteen Hours) de Henry Hathaway, avec Richard Basehart et Paul Douglas.

1952

Le train sifflera trois fois
(High Noon) de Fred Zinnemann, avec Gary Cooper, Llyod Bridges et Katy Jurado. (Ciné-Collection.)

1953

Mogambo
de John Ford, avec Clark Gable, Ava Gardner et Donald Sinden. (RCV-Film Office.)

1954

Le crime était presque parfait
(Dial M for Murder) d'Alfred Hitchcock, avec Ray Milland, Robert Cummings, John Williams et Anthony Dawson. (Warner Home Vidéo.)

Fenêtre sur cour
(Rear Window) d'Alfred Hitchcock, avec James Stewart, Raymond Burr, Thelma Ritter et Wendell Corey. (CIC Vidéo.)

Les Ponts de Toko-Ri
(The Bridges at Toko-Ri) de Mark Robson, avec William Holden, Fredric March et Mickey Rooney.

Une fille de la province
(The Country Girl) de George Seaton, avec Bing Crosby et William Holden.

L'Émeraude tragique
(Green Fire) d'Andrew Marton, avec Stewart Granger, Paul Douglas et John Ericson.

1955

La Main au collet
(To Catch a Thief) d'Alfred Hitchcock, avec Cary Grant, Jessie Royce Landis, Charles Vanel et Brigitte Auber.

1956

Le Cygne
(The Swan) de Charles Vidor, avec Alec Guinness, Louis Jourdan, Jessie Royce Landis et Brian Aherne.

Haute Société
(High Society) de Charles Walters, avec Bing Crosby, Frank Sinatra, Celeste Holm, John Lund et Louis Armstrong.

Crédits photographiques

Collection Christophe L., pages 2, 6, 7, 15, 24, 31, 33, 37, 39, 43, 45, 46, 47, 50, 54, 55, 59, 63, 68, 69, 72, 78, 83, 87, 95, 97, 100, 101. Keystone, pages 5, 11, 17, 27, 96, 111, 115, 118, 119, 126, 127, 138. Keystone Sygma, pages 12, 26. Paris Match, pages 8-9, 28, 48, 106, 107, 109, 112, 113, 114, 117, 121, 122, 125, 128, 132, 137, 140. P.P.P./I.P.S., pages 19, 20, 21, 85. Collection Alain Pelé, pages 30, 40, 41, 56-57, 60, 64-65, 67, 75, 80, 81, 82, 90-91, 102, 141. Collection S. Benhamou, pages 34-35, 36, 52, 62, 71, 77, 86, 87, 92, 93, 98, 99, 106, 107, 123, 130, 143. Sipa Press, pages 104-105, 129, 136, 139, 140. Editions J.C.M., page 133.

Bibliographie

La liste qui suit n'est pas exhaustive : nous ne signalons ici que les ouvrages consultés et utilisés pour la rédaction de ce livre.

• *Grace*, par Sarah Bradford (Presses de la Renaissance, 1984; éd. J'ai lu, 1986).
• *Grace*, par Bertrand Meyer (Libraire Académique Perrin, 1984; éd. Presses-Pocket, 1986).
• *Grace. Les vies secrètes d'une princesse*, par James Spada; éd. J.-C. Lattès, 1988).
• *That Kelly Family*, par John McCallum (éd. Barnes and Company, 1957).
• *Princess Grace*, par Gwen Robyns (éd. D. Mac Kay, 1976).
• *Mon livre des fleurs*, par la princesse Grace de Monaco et Gwen Robyns (éd. Jean-Claude Marsan, 1986).
• *Le Soleil et les Ombres*, par Jean-Pierre Aumont (éd. Robert Laffont, « Vécu », 1976).
• *Hitchcock/Truffaut* (éd. Ramsay, 1983).

Maquette : Catherine Chapuis

Photocomposition Communication, Champforgeuil.

J'ai lu Cinéma / Éditions J'ai lu
27, rue Cassette 75006 Paris

Imprimé en France par Intergraphie à Saint-Etienne
le 20 février 1989
Dépôt légal février 1989. ISBN 2-277-37011-8

Diffusion France et étranger : Flammarion